le pont des amours

PARUS :

Le Cheik par E.M. HULL
Candide Evangéline par Elinor GLYN
La lune au trésor par Jeffrey FARNOL
Mystérieuse Alathéa par Elinor GLYN
Le fils du Cheik par E.M. HULL
Ardente Amaryllis par Elinor GLYN
Farouche Tamara par Elinor GLYN
La proie de l'aigle par Ethel M. DELL
L'apprenti gentleman par Jeffrey FARNOL
Ramazan le rajah par Vere LOCKWOOD
Sauvage Kamala par Elinor GLYN
Le valet de carreau par Ethel M. DELL
Le pont des amours par Berta RUCK

À PARAÎTRE :

Le Dompteur par E.M. HULL
Les chemins de la vie par Jeffrey FARNOL
Inaccessible Zara par Elinor GLYN

LES ROMANS PRÉFÉRÉS
DE BARBARA CARTLAND

le pont des amours

par Berta Ruck

traduit de l'anglais par Brigitte Ariel

Éditions J'ai Lu

Ce roman a paru sous le titre original :

THE BRIDGE OF KISSES

1

Mon histoire commence le jour le plus important de la vie d'une jeune fille : celui de ses fiançailles.

J'avais à peine le temps de rêver à ce qui m'arriverait ce jour-là quand l'événement survint. C'était le jour de mes dix-neuf ans.

J'étais encore bien jeune, certes; mais moi, Joséphine Dale, familièrement appelée Jo, je suis tellement mûre pour mon âge que j'ai parfois l'impression d'avoir vécu cent ans!

Comprenez-moi : à la maison, c'est moi qui assume toutes les responsabilités. Je gère le budget de la famille et je m'occupe entièrement de mes petits cousins, Cecil et Harry, qui vivent avec nous depuis que leurs parents sont partis pour les Indes. Nous les avons surnommés les « crapauds turcs », parce que leur petite taille ne les empêche pas d'être parfaitement insupportables!

C'est également moi qui veille sur ma sœur Daisy, qui est bien trop préoccupée par sa musique pour s'intéresser aux nécessités quotidiennes. Et, enfin, je tiens le rôle de mère auprès de maman qui refuse obstinément de devenir adulte...

Mais revenons-en au jour fatidique où, pour couronner le tout, on me confia la charge d'un fiancé.

C'était une de ces journées de juin, si typiquement anglaises.

Je veux dire par là qu'il pleuvait à verse et qu'on n'y voyait pas à cinq mètres à cause du brouillard; le jardin ressemblait à une immense assiettée de chou mal égoutté.

De plus, la perspective du départ de maman, prévu pour le lendemain, mettait tout le monde de mauvaise humeur.

Je coupais des salopettes neuves pour les petits dans la nurserie-grenier-salle de jeux, et la pendule venait de sonner 1 heure moins le quart.

Il faut que je précise qu'on appelait aussi les crapauds les O.V.2, parce que, cinquante fois par jour, l'un de nous s'exclamait d'un ton exaspéré : « Oh, vous deux! »

Ils rentrent normalement du jardin d'enfants à midi et j'attendais toujours leur retour. « Mon Dieu, pensai-je, et s'il leur était arrivé quelque chose!... »

Très inquiète, j'enfilai mon vieux ciré et me précipitai à l'école. L'institutrice m'assura que Cecil et Harry étaient sortis, comme chaque jour, à midi.

– Ils sont partis depuis une heure! m'exclamai-je, horrifiée.

Je m'imaginais déjà en train de commander deux petits cercueils à un employé des pompes funèbres.

– Et si vous alliez voir du côté du chantier du pont, Jo? suggéra-t-elle alors. La vue de ces pauvres soldats enfoncés dans la boue jusqu'au cou pour empiler des bouts de bois semble exercer sur les enfants une véritable fascination. Vous trouverez sûrement vos cousins parmi ces petits monstres.

Le pont militaire en construction est en ce moment la grande attraction de notre paisible cité. Il sera, paraît-il, assez solide pour permettre le passage des chars et des véhicules les plus lourds. Vers quelle destination, Dieu seul le sait...

Je courus donc vers le chantier au bord de la rivière dans l'espoir d'y découvrir mes crapauds tranquillement occupés à concocter une nouvelle bêtise. Mais je n'y distinguai que des uniformes kaki.

Je remarquai alors un peu plus loin, près d'un grand hangar, un rassemblement inhabituel. Les commères de Riverside paraissaient très excitées et poussaient des cris aigus. Il y en avait même une ou deux en larmes.

La voix de Mrs Lock, notre femme de ménage, couvrait celles des autres femmes.

— Et vous appelez ça un pays libre, avec des militaires partout! Ils sont pires que les soldats d'Attila, je vous dis! De vrais sauvages!

— Que se passe-t-il, Mrs Lock? demandai-je en m'approchant.

Elle désigna la grande porte métallique du hangar. Trois soldats montaient la garde, le regard anormalement vif pour des sentinelles, et leurs baïonnettes pointées vers les pauvres femmes lançaient des éclairs menaçants.

Quand je fus près du bâtiment, j'entendis un bruit terrible de sanglots et de coups portés contre la tôle.

— Les enfants sont à l'intérieur? m'étonnai-je.

— Ah, vous avez compris, miss, répondit Mrs Lock. Ils ont pris mon Sydney, puis Georgie Hopkins, et le petit à Mrs Death qui ne faisait rien d'autre que de regarder, le pauvre amour!

— Ils? Qui sont donc ces mystérieux « ils »?

— Aller comme ça tirer le sabre devant ces pauvres petits innocents! Ah çà, autant se laisser envahir par les Allemands, moi je vous le dis!

Mrs Lock essuya ses larmes devant les sentinelles imperturbables avant de porter l'estocade finale :

— Des baïonnettes! Et puis quoi encore! Et vos deux petits y sont aussi, miss Jo, ajouta-t-elle perfidement en agitant son chignon gris. « Allez, hop, les gamins! », qu'il a fait, et il a enfermé Master Cecil et Master Harry avec les autres.

— Quoi! les crapauds sont enfermés là-dedans! me récriai-je avec horreur. Mais ils risquent d'attraper la mort, ou une maladie contagieuse! Enfermés!

— Comme je vous le dis, miss!

Je m'approchai courageusement d'une des sentinelles.

J'employai mon ton-qui-n'admet-aucune-réplique, réservé en principe aux O.V.2 pris en flagrant délit de bêtise grave.

— Ouvrez immédiatement et laissez sortir mes petits cousins! Ils devraient avoir déjeuné depuis longtemps! Vous m'entendez?

— Désolé, miss, c'est impossible. Les ordres sont formels. Mon officier m'a dit...

Au même instant apparut un superbe officier, d'une taille impressionnante, dans un état de rage indescriptible. D'un œil aussi sombre que ses sourcils noirs, il fusilla du regard la sentinelle au garde-à-vous, puis ma modeste personne.

Je devais avoir piètre allure : le vent m'avait décoiffée et faisait battre les pans de mon ciré, découvrant une vieille jupe de serge constellée de bouts de fil provenant des salopettes des crapauds turcs.

Mais je me moquais bien de mon apparence et de la colère du nouveau venu. D'un ton plein de défi, je lui demandai :

— Etes-vous l'officier de service?

— Oui. Que voulez-vous?

— C'est vous qui avez enfermé les enfants dans ce hangar?

— Parfaitement, répliqua-t-il, le regard plus menaçant que jamais.

– J'exige que vous les relâchiez immédiatement.

– Vraiment? Je crains fort que votre ordre ne puisse être exécuté! rétorqua-t-il en fronçant les sourcils. Je suis déterminé à mettre fin une fois pour toutes aux agissements de ces enfants. Ce sont de vrais démons.

– Quel crime ont-ils donc commis?

– Sachez que le bois qui est sur le chantier appartient à l'Etat, expliqua-t-il. Or, ces petits monstres en volent sans arrêt.

Cette belle déclaration souleva un tollé de protestations indignées de la part des mères outragées.

– Ah, par exemple! Pour quelques malheureuses branches dont le petit voulait faire un bateau!... Une baguette pour son cerceau!

– Cela ne me semble pas une grande perte pour le gouvernement! Ces messieurs ne se gênent pas, eux, pour dépenser des fortunes dans la construction de ponts inutiles!

Je lançai un regard méprisant vers la rivière.

– Enfin... Soyez assuré que les enfants vous rendront vos malheureux branchages!

Je me doutais bien que les O.V.2 avaient dû essayer de ramasser des poutres aussi grosses qu'eux pour se construire un fort.

– J'apprécie votre honnêteté, mais c'est déjà fait, répliqua l'odieux personnage. Je leur ai tout fait lâcher avant de les enfermer.

En regardant l'uniforme poussiéreux et les bottes maculées de boue du bel officier, son teint cramoisi et ses traits déformés par la colère, je me demandai soudain pourquoi tant de mes amies rêvaient d'épouser un militaire.

– Dans ce cas, répondis-je aussi sarcastiquement que je le pus en repoussant les mèches trempées qui battaient sur mon visage, pourriez-vous avoir l'extrême obligeance de relâcher ces enfants?

Mon assurance le laissa silencieux et je crus qu'il

cherchait le meilleur moyen d'obtempérer sans déchoir.

Soudain, avec une brusquerie qui me fit sursauter, il aboya :

– Sûrement pas!

– N... non?

– Non!

– J'écrirai à vos supérieurs! menaçai-je d'une voix qui ne parut guère l'intimider, avant d'ajouter avec indignation : Ecoutez, ils pleurent!

– Ils peuvent pleurer toutes les larmes de leur corps, grogna la jeune brute, ça ne changera rien à l'affaire. Je leur ai dit qu'ils resteraient enfermés jusqu'à 1 heure et demie et il n'est pas question de les laisser sortir avant.

Sur ces paroles définitives, il me tourna le dos et repartit à grands pas vers la rivière, me laissant seule face aux baïonnettes.

J'entendais les appels désespérés de Cecil et de Harry qui avaient reconnu ma voix.

– Ne vous inquiétez pas, mes amours! leur criaije. Cet horrible militaire ne veut pas vous relâcher avant la fin de la punition, mais ne vous en faites pas : je suis là.

J'attendis donc, ruisselante sous la pluie battante, littéralement collée à la pointe des baïonnettes, fulminant contre ces « officiers tyranniques » et ces « bons à rien de sentinelles » – que je suspecte fort d'avoir eu du mal à garder leur sérieux –, que la cloche de l'église se décide à sonner la demie.

A l'heure dite, un soldat arriva, tout dégoulinant, de la rivière, avec la clé du hangar pour libérer les coupables.

Dieu seul sait quelle distraction ils avaient pu trouver à l'intérieur pour se consoler, mais quand ils sortirent, leurs vêtements étaient couverts d'huile et de sciure.

N'importe quel traîne-ruisseau aurait eu l'air d'un

jeune seigneur à côté de mes petits cousins. Je les étreignis avec force et gardai leurs menottes brûlantes et noires dans mes mains jusqu'à notre arrivée à la maison.

En sortant du chantier nous croisâmes l'officier qui avait pris la sanction : je devais avoir fière allure, encadrée de mes deux crapauds sales et triomphants !

Je soutins son regard pour lui faire comprendre qu'il ne m'impressionnait nullement. Alors, je l'entendis demander au soldat qui l'accompagnait :

– Qui est cette jeune fille ? Vous la connaissez ?

Dieu merci, l'autre ne put le renseigner. J'espérais bien ne plus jamais revoir cet odieux individu !

Voilà les événements qui marquèrent la matinée du jour mémorable de mes fiançailles. Mais passons à l'après-midi.

Maman était sortie avec Daisy pour faire ses visites d'adieu tandis que je terminais les ultimes préparatifs avant qu'elle ferme ses valises. J'étais encore bouleversée par mon affrontement avec les forces armées quand on sonna à la porte.

– Mr Sykes, annonça Elisabeth, notre bonne.

N'attendez pas de moi des discours élégiaques sur le grand amour et autres fadaises dont je n'ai que faire. Quand il entra, je levai à peine les yeux de mon ouvrage : depuis ma petite enfance, je suis habituée aux allées et venues de Hilary Sykes.

Lui et Teddy – mon père – s'étaient associés pour monter un cabinet d'architectes, la Compagnie Dale et Sykes. Naturellement, leur association fut dissoute lorsque, en août 1914, papa partit rejoindre son régiment dans la plaine de Salisbury avant de gagner la France où il se trouve actuellement.

Peu de temps après, Mr Sykes a hérité d'un vieil oncle de Glasgow qui lui a laissé une belle fortune. Ayant décidé de s'établir ici, il a ajouté une aile aux

Tourelles, une superbe demeure bâtie d'après des plans dessinés par lui-même, et il a fait de son jardin l'un des chefs-d'œuvre du comté.

Il n'était pas question pour lui de s'engager dans l'armée : il est tellement myope qu'il manquerait une meule de foin à cinq mètres, même avec des lunettes.

D'ailleurs, Hilary ne supporte pas la vue du sang et la seule idée de blesser un Allemand le rendrait malade : comment pourrait-il oublier qu'il a fait ses études à Munich où il a conservé d'excellentes relations avec ses anciens condisciples ?

Oh, ne vous méprenez pas : Hilary Sykes est le parti idéal ! Maman elle-même reconnaît n'avoir jamais rencontré d'homme plus respectable.

Contrairement aux autres hommes, il ne lui a jamais envoyé de roses, et le soir il ne s'empresse pas autour d'elle dans l'espoir de ramasser son châle. Du reste, il paraît beaucoup plus vieux que Teddy, notre père, bien qu'il n'ait que trente-cinq ans et qu'il ne perde pas ses cheveux dont il est très fier et qu'il porte assez longs pour se donner le genre artiste.

Bref, il entra. Je remarquai qu'il portait un costume neuf, de toute évidence fait sur mesure, et une cravate verte de chez Liberty. Il tenait à la main quatre œillets mauves superbes, soigneusement enveloppés dans un papier cristal.

« Tiens, tiens, me dis-je il s'est enfin décidé à offrir des fleurs à maman; son cadeau d'adieu, sans doute... »

– Oh ! comme c'est gentil à vous ! Ma mère adore les œillets ! m'exclamai-je en prenant le bouquet.

– Ces œillets ne lui sont pas destinés, miss Joséphine, répondit-il avec emphase. Je les ai choisis pour vous dans mon jardin.

– Pour moi ?

Tandis que j'admirais la nuance délicate des

fleurs, il me demanda s'il était vrai que ma mère partait pour Paris afin d'y travailler dans une cantine pour nos soldats.

– Mais oui, tout est arrangé depuis des semaines, lui dis-je. Vous semblez désapprouver ce projet, Mr Sykes?

– Comment peut-elle envisager de laisser seules de si jeunes filles alors que la présence d'officiers venus sous prétexte de construire ce pont ridicule met notre ville sens dessus dessous?

– Oh, nous ne risquons pas de frayer avec les officiers du pont, assurai-je en pensant au jeune Attila que j'avais affronté le matin. Vous ne trouvez pas normal que notre mère s'associe à l'effort de guerre?

– Je trouve pour le moins curieux qu'une femme de l'âge de votre mère, responsable d'un foyer où elle a accueilli ses deux jeunes neveux, décide de tourner le dos à ses engagements pour...

– Vous ne comprenez rien, l'interrompis-je. Nous sommes tous si contents qu'elle puisse partir là-bas! Depuis que papa est monté au front, elle est malade d'inquiétude.

Je regardai rêveusement par la fenêtre.

– Vous savez, repris-je, quand elle a rencontré Teddy, ce fut le coup de foudre. Si quelque chose arrivait à son mari, elle n'aurait plus aucune raison de vivre.

– Enfin, il lui resterait ses enfants!

Devant mon silence réprobateur, il changea de tactique et fit deux remarques qui me terrifièrent:

– Vous n'êtes pas à votre place dans cette famille égoïste, Joséphine! Si vous saviez comme je vous admire!

– Vous m'admirez! me récriai-je. M'admirer, moi?

Seules les personnes dénuées de tout attrait pourront comprendre ce que je ressentis alors : jamais personne n'avait eu l'idée de m'adresser un tel compliment. Je suis une jeune fille si quelconque.

Je ne me flattais guère que de la finesse de mes mains et de la petitesse de mes pieds.

Il n'y avait que Molly Molloy, mon amie irlandaise, pour affirmer :

– Tu serais jolie comme un cœur, Jo, si tu ne refusais pas de croire à ton charme! Quand te décideras-tu à admettre que tu es ravissante? Regarde-toi, avec ton teint de rose et ta chevelure brillante comme de la soie... et ces yeux bruns, si ingénument innocents... et ces deux fossettes de chaque côté de ta bouche si finement dessinée!

« Ah, oui, parlons-en de ma bouche, me disais-je amèrement. Elle est si large qu'on dirait un grand pont jeté au milieu de ma figure!... »

Et voilà qu'un homme, un authentique représentant du sexe masculin, qui n'avait jamais accordé la moindre attention à ma mère, venait me dire qu'il m'admirait!

Etait-ce possible?

Certainement pas!

Il me fallut quelques secondes pour me rendre compte que ce n'était pas mon charme physique qui l'impressionnait : c'était ma force de caractère!

Mr Sykes m'expliqua qu'il m'avait regardée grandir et devenir une vraie femme, douée de toutes les solides qualités qu'on appréciait chez les épouses d'antan. Ne fallait-il pas que quelqu'un montre un peu d'esprit critique dans cette maison?

Il admirait aussi les trésors de patience que j'avais su déployer pour supporter les deux petits depuis leur arrivée... lesquels petits étaient justement en train de se livrer à leur passe-temps favori : la bagarre!

Il devenait urgent d'aller les séparer, mais Mr Sykes continuait à s'égarer dans les méandres de cette conversation oiseuse. En conclusion, il me supplia de devenir le grillon de son foyer, l'ange de sa demeure.

Devais-je accepter? Il me semblait prématuré de prendre une décision définitive... Pourtant, sa proposition n'était pas vraiment inattendue : maman y avait déjà fait allusion :

– Vois-tu, ma chérie, il y a deux sortes de jeunes filles, avait-elle commencé...

Et, comme je la pressais de s'expliquer, elle avait continué :

– Eh bien... on peut distinguer celles qui cherchent le grand amour et celles qui font de bons mariages.

– Et dans quelle catégorie me places-tu, maman?

– Je suis presque sûre, mon enfant, qu'un bon mariage te rendra heureuse!

J'en étais restée tout ébahie : charmante façon d'envisager mon avenir!

– Pense aux infortunées qui ne réussissent ni l'un ni l'autre, avait-elle ajouté en guise de consolation.

Cette conversation me revint à l'esprit quand Mr Sykes se proposa comme époux et brusquement je pensai à mon avenir.

Si, par malheur, mon père était tué à la guerre, qu'adviendrait-il de ma chère maman? Elle se retrouverait seule avec deux filles à sa charge et sa maigre pension de veuve de guerre pour toutes ressources. On ne pouvait guère tenir compte, en effet, du peu qu'on lui envoyait pour subvenir aux besoins des O.V.2. L'offre généreuse de Mr Sykes me permettait de repousser ces sombres perspectives.

Aussi, en me disant à mon corps défendant que mieux valait être un ange en sa demeure qu'un ange à l'usine, je lui répondis d'une voix incertaine :

– Mais... il nous faudra... attendre : maman s'est engagée pour trois mois et je ne peux pas laisser les crap...

Mr Sykes m'interrompit avec une belle formule sur l'attente qui fortifie l'amour et permet aux êtres de mieux se connaître avant de s'engager pour la vie.

Je l'assurai que j'étais de son avis.

– Dois-je prendre cela pour un oui, Joséphine ?

– Oh... sans doute, fis-je, bouleversée. Merci beaucoup, Mr Sykes.

– Consentez-vous à m'appeler Hilary ? demanda-t-il.

Et, en rougissant, il se lança dans une phrase assez confuse où il était question de sceller nos fiançailles : il avait à présent le droit de m'embrasser.

Mon premier baiser ! Dans les romans que j'avais lus, on en parlait assez de cet instant fatidique !

Eh bien moi, je sus immédiatement que j'allais po-si-ti-ve-ment détester ça ! Comme avant d'avaler une cuillerée d'huile de foie de morue, je pris une grande inspiration et me résignai.

Mais, comme mon fiancé s'avançait vers moi, alors que son visage était déjà si proche que je voyais mon reflet dans ses lunettes... heureusement... enfin, hélas... un cri épouvantable retentit dans le vestibule et la porte fut poussée brutalement.

– Jo, Jo, il va mourir ! C'est ma faute !

– Oh, vous deux ! m'écriai-je en me précipitant hors du salon.

Mes petits cousins avaient le visage en sang ! J'avais peine à croire qu'une simple hémorragie nasale pût avoir de telles conséquences !

– Ce n'est rien, une petite escarmouche, me hâtai-je d'expliquer à Mr Sykes qui condamnait sans appel toute forme de violence.

Il marmonna un vague « j'écrirai à votre mère » et se retira prudemment, me laissant le soin de nettoyer les crapauds à grands coups d'éponge et d'eau froide.

Bien sûr, ils n'avaient fait que retarder l'instant fatidique, mais cela me laissait le temps de m'habituer à cette idée... Et ma meilleure récompense ne serait-elle pas l'expression radieuse de maman qui s'exclamerait à coup sûr :

– Oh, Jo! Quel soulagement! A présent, si mon bateau est torpillé pendant la traversée, je pourrai mourir en paix en pensant que ton avenir, au moins, est assuré!

Le départ de ma mère suffisait à expliquer que, pendant tout le dîner, j'eusse du mal à retenir mes larmes. Mais je craignais qu'une fois dans ma chambre...

Eh bien non! Je n'ai pas pleuré!

J'étais montée me coucher très tôt. Je venais de me mettre au lit quand ma sœur Daisy fit irruption dans ma chambre pour m'apporter une lettre et une énorme gerbe de roses pâles dont le parfum emplit aussitôt la pièce.

– Des roses et une lettre d'amour pour la fiancée, annonça Daisy.

– Mon Dieu! fis-je, et, avec un soupir résigné, je me redressai sur mes oreillers.

– C'est un soldat qui a apporté cela, précisa ma sœur en me tendant la lettre. Je me demande bien pourquoi Mr Sykes a choisi un tel commissionnaire. En tout cas, il attend la réponse à la cuisine.

– Allume, veux-tu? fis-je d'une voix lugubre. Je suppose qu'il vaut mieux la lire tout de suite.

Curieuse manière, me direz-vous, pour une fiancée d'accueillir sa première lettre d'amour...

J'imaginais aisément le contenu de cette missive : des compliments emphatiques sur ma grandeur d'âme et la force de mon caractère... rien de bien excitant, hélas!

Et voilà qu'en déchiffrant la première ligne je demeurai interdite : ce n'était pas l'écriture nette et élégante d'un Hilary Sykes, mais un griffonnage enfantin :

Mr R.L. Rowlands prie miss Dale d'agréer ses plus humbles excuses après le fâcheux incident qui s'est produit ce matin sur le chantier. Il craint de s'être mis stupidement en colère et la prie d'accepter ces quelques roses pour lui prouver qu'elle lui pardonne. L'autorisera-t-elle à se présenter prochainement chez elle pour lui permettre d'exprimer de vive voix ses regrets?

Sincèrement,
R.L. Rowlands.

– Ah çà, quelle impertinence! m'exclamai-je lorsque j'eus pleinement saisi la signification de ces lignes. C'est de l'horrible officier du chantier, celui qui a enfermé les crapauds dans le hangar! Lis un peu ce qu'il a l'audace de m'écrire.

Daisy lut le message puis éclata de rire.

– Le billet est charmant, si tu veux mon avis. Que vas-tu lui répondre? Son ordonnance attend dans la cuisine.

– Dis-lui qu'il n'y a pas de réponse et renvoie ces sales roses!

– Enfin, Jo, tu ne peux pas faire ça! s'exclama Daisy. Renvoyer des fleurs, c'est vraiment puéril!

– D'accord! Tu n'as qu'à les garder. Mais, ôte-les de ma vue! Bonsoir!

Le lendemain, après le départ de ma mère, la vie me parut aussi attrayante qu'un reste de pudding froid!

J'errais comme un corps sans âme; je déplaçais mille objets insignifiants pour le seul plaisir de

18

toucher ce qui lui avait appartenu, comme on le fait après la mort d'un être cher. Quelque chose en moi refusait d'admettre qu'elle était tout simplement partie pour servir son pays et retrouver mon père qui devait la rejoindre à Paris pendant sa première permission.

On sonna à la porte.

Convaincue que ce n'était que Mr Sykes, Hilary, devrais-je dire, je ne pris pas la peine de me changer et gardai ma vieille salopette bleue.

Quelle ne fut pas ma surprise quand Elisabeth introduisit au salon une dame d'un certain âge dont les cheveux gris étaient remontés sous un coquet chapeau orné de pensées.

Elle s'appelait Mrs Hugues et se présenta comme une ancienne camarade de pension de maman qu'elle appela « Poppet », comme Teddy.

Elle était venue lui demander un service et la nouvelle de son départ pour la France parut la plonger dans un profond désarroi.

– Trois mois! Mais il sera trop tard! Et moi qui m'en vais demain! s'exclama-t-elle. Ainsi, vous êtes la fille de Poppet? Vous ne lui ressemblez guère!

– Hélas, non, soupirai-je.

– Vous n'êtes pas fiancée au moins?

– Si, me hâtai-je de répondre, avec, pour la première fois, un sentiment de fierté.

– Oh! Et Poppet qui ne m'en a rien dit!

– C'est qu'il n'y avait rien à dire jusqu'à hier, intervins-je.

– Quel dommage! fit Mrs Hugues de façon inattendue.

Elle s'empressa de justifier sa remarque en ajoutant que je paraissais bien jeune.

– Jeune? Pas du tout! J'ai dix-neuf ans et je suis très mûre pour mon âge, assurai-je. Ne pouvez-vous me confier ce que vous étiez venue dire à maman?

– Je voulais lui demander de veiller sur mon fils.

– Oh, alors, il n'y a pas de problème! C'est toujours moi qui m'occupe des enfants, affirmai-je d'un ton enjoué. Votre fils pourra jouer avec mes petits cousins.

– Mon fils a vingt-quatre ans, intervint Mrs Hugues.

– Oh! fis-je d'une voix faible.

Elle garda le silence une bonne minute puis demanda :

– Votre fiancé est-il soldat?

– Oh, pas du tout!... Je veux dire... Il a été réformé, vous comprenez...

– Oh! fit à son tour Mrs Hugues.

Comme elle avait prononcé ces mots, « mon fils »! Elle me fit de son Dick une description d'où il ressortait qu'il était à la fois un archange, un général en chef et un bébé à peine sevré. Elle m'expliqua qu'elle était venue à Riverside pour lui rendre visite et s'assurer que ses supérieurs le traitaient avec égards.

– Il est logé chez le passeur, vous savez, dans cette petite maison au toit rouge avec un joli porche couvert d'aubépine. Je crois qu'il est bien installé, poursuivit cette mère attentive. C'est d'autant plus pratique pour lui qu'il est à cinq minutes du chantier du nouveau pont où il travaille.

– Oh, il travaille au nouveau pont! m'exclamai-je. Je suis ravie d'apprendre qu'il y a au moins quelqu'un de bien sur ce maudit chantier.

Devant la surprise de Mrs Hugues, je m'empressai de lui raconter ma mésaventure de la veille en insistant sur le manque d'éducation de l'officier que j'avais rencontré.

– Oh, ma pauvre enfant, j'en suis navrée! J'espère que mon cher Dick n'a pas à souffrir des grossièretés de ce vilain personnage, dit anxieusement Mrs

Hugues. J'aimerais tant le savoir en bonne compagnie.

Elle poussa un profond soupir.

– Vous comprenez à présent pourquoi j'étais venue demander à Poppet de s'occuper de lui. J'espérais qu'elle pourrait l'inviter de temps à autre et lui présenter des jeunes filles du voisinage...

– Vous savez bien, Mrs Hugues, que si votre fils avait rencontré maman, les jeunes filles ne l'auraient plus intéressé!

– Ah, je vois que Poppet est toujours la même!

Une lueur amusée brilla dans les yeux de la visiteuse tandis qu'elle reboutonnait ses gants.

– Ah, si seulement il pouvait tomber amoureux!... dit-elle rêveusement. Amoureux d'une jeune fille bien qui saurait le rendre heureux... Hélas, mon Dick a d'autres projets : quand il était plus jeune, il ne pensait qu'à s'amuser, à présent il n'a plus que son travail en tête. Il est si ambitieux! Ah, ce pont! Je suis sûre qu'il en rêve la nuit! Entre nous, je suis convaincue qu'il n'a jamais eu une seule femme dans sa vie.

– Et cela vous chagrine? demandai-je en pensant que Mrs Hugues était une mère bien étrange. Pourquoi donc?

Elle s'approcha du portrait des crapauds turcs posé sur la commode dans un cadre d'argent. Elle considéra pensivement la photographie où les O.V.2, en costume marin, se tenaient sagement par la main.

– Les beaux enfants, murmura-t-elle. Ce sont les petits neveux de votre père, je suppose? Comme ils sont mignons!

Je me remémorais l'état de ces adorables chérubins au moment où ils étaient sortis du hangar sur le chantier... Mais Mrs Hugues, loin de tenir compte de ma moue dubitative, poursuivit :

– Ah, comme j'aimerais avoir des petits-enfants!

Je compris alors les véritables causes de sa détresse : c'est si difficile de vieillir seule !...

— Oh, Mrs Hugues, c'est donc pour cela que vous souhaitez tant que votre fils se marie ?

Elle me regarda et des larmes perlèrent au bord de ses paupières.

— Eh, oui, Joséphine, avoua-t-elle d'un ton un peu précipité. Je donnerais n'importe quoi pour le voir fiancé avant son départ pour le front !

Et elle ajouta, comme pour elle-même :

— Je rêve de consoler une gentille fille qu'il aimerait et, pourquoi pas, mon petit-fils... Quoi de plus merveilleux pour une mère ?

Elle parut se reprendre et affirma :

— Hélas, d'ici six semaines, peut-être moins, le pont sera terminé et Dick s'en ira... Excusez-moi, je raconte vraiment n'importe quoi !

— Pourquoi ? m'écriai-je alors, mue par une vive compassion. Pourquoi votre rêve ne pourrait-il pas se réaliser ? Laissez-moi m'en occuper !

Elle me regarda avec stupéfaction.

— Voyons, mon enfant, que voulez-vous dire ?

— C'est très simple : il ne manque pas à Riverside de jeunes filles charmantes que votre fils serait ravi d'épouser... enfin, il pourrait épouser l'une d'entre elles, veux-je dire.

Je songeais à mon amie Molly Molloy. Cette jeune et jolie infirmière n'était-elle pas capable de séduire le plus endurci des célibataires ? Il y avait aussi les filles du pasteur, celles de...

— Si la première que je lui présente ne lui plaît pas, expliquai-je, j'en trouverai d'autres !

Cette fois Mrs Hugues éclata de rire.

— Oh, la charmante enfant ! Vous voilà prête à jouer les entremetteuses pour me faire plaisir !

— Et pourquoi pas, Mrs Hugues ? Pour que deux jeunes gens se rencontrent, il faut parfois... forcer le destin! Surtout ne parlez pas de cette conversation à votre fils!

– Oh, non, bien sûr, répliqua tranquillement Mrs Hugues.

– Demandez-lui juste de nous rendre visite.

– Soyez sans crainte, promit-elle dans le vestibule. Au revoir, mon enfant!

– Au revoir, répondis-je en lui tendant la main. Elle la garda longuement serrée entre les siennes, semblant triste de prendre congé.

– Faites-moi confiance, lui dis-je gaiement. Je vais m'occuper de votre fils!

Je lui désignai du doigt le chantier qu'on apercevait au delà du mur du jardin; les voiles pourpres d'un chaland se balançaient mollement sur la rivière entre deux piliers du pont inachevé. Je fis alors à la vieille dame une promesse que je me jurais bien de tenir :

– *Votre fils sera fiancé avant l'achèvement du pont.* Mais surtout, prévenez-moi à temps de sa visite!

Mrs Hugues, qui avait déjà franchi la porte du jardin, se retourna :

– Au fait, mon petit, mon fils ne porte pas le même nom que moi, me lança-t-elle. Je suis remariée. Dick s'appelle Rowlands – Richard Lewelyn Rowlands.

Et elle s'en fut.

Je demeurai interdite, paralysée par l'horreur de cette révélation.

Rowlands! R. L. Rowlands!

Seigneur! Le nom signé au bas du message de la veille! Celui du jeune Attila qui m'avait envoyé des roses et demandé un rendez-vous! Celui dont j'espérais bien avoir calmé les ardeurs en laissant repartir son ordonnance sans réponse!

Et voilà que j'avais promis de...

Oh, oh! Quelle situation!

Dans la vie, avec le temps, on doit pouvoir s'habituer à tout, même à être fiancée...

Tout d'abord, j'eus l'impression d'avoir pénétré dans une prison dont la porte s'était refermée à jamais sur moi... Je croyais entendre les pas de mes geôliers décroître sur le dallage de pierre. « Voilà, pensai-je, tu es prise au piège... »

Je redoutais la visite de mon fiancé qui ne manquerait pas d'exiger de moi le baiser dont il avait été frustré lors de sa demande. Cette perspective me terrifiait : un véritable cauchemar !

Bien sûr, me direz-vous, ma frayeur était ridicule; d'autant plus que je savais pertinemment qu'en m'engageant à l'épouser je m'étais engagée à être... toute à lui quand je vivrais sous son toit.

Mais j'avais repoussé cet aspect de la vie conjugale dans un avenir lointain : d'ici là, j'aurais eu le temps de m'endurcir.

Aussi, quand on m'annonça que mon fiancé était brusquement obligé de partir en voyage, j'en ressentis un extrême soulagement.

Hilary Sykes avait reçu d'Ecosse un télégramme le priant de venir d'urgence pour régler quelques obscurs détails concernant la succession de son fameux oncle à héritage.

Ah, comme je bénissais cet oncle inconnu !

Hilary prit le train à l'aube et – joie ineffable ! – les portes de ma prison s'ouvrirent : j'étais libre jusqu'à son retour de Glasgow !

J'étais si heureuse que je chantonnai toute la matinée.

C'était dans l'après-midi que devait venir le bâtisseur de pont.

Je m'étais préparée à cette visite et je savais exactement comment j'allais recevoir ce jeune indésirable. Je me montrerais courtoise, par égard pour sa mère et, puisque je lui avais promis de chercher une fiancée pour son fils, il me fallait trouver le moyen de tenir mes engagements sans déchoir.

Je ne pouvais envisager de livrer une de mes amies à ce goujat et j'étais bien décidée à lui proposer une jeune personne acariâtre et susceptible de tenir tête à ce jeune Hun qui avait osé enfermer mes petits cousins.

J'imaginais très bien la scène. Moi, froide et distante : « Un nuage de lait dans votre thé, Mr Rowlands? Un sucre ou deux? » Puis, après un silence : « Quel temps affreux pour la saison, n'est-ce pas? Vraiment, on ne se croirait pas en été... »

Naturellement, je porterais mon chemisier neuf et, avec mes cheveux relevés, j'aurais l'air d'avoir au moins vingt-cinq ans.

Mon visiteur avait précisé qu'il ne pouvait se libérer qu'après 17 heures. J'avais donc tout le temps de me préparer... Du moins, c'est ce que je croyais!

Voici maintenant comment les choses se sont réellement passées.

J'avais proposé à Elisabeth de l'aider à ranger les vêtements propres des petits au début de l'après-midi, lesdits petits étant censés jouer dans le jardin où ils avaient transformé ma tonnelle de pois de senteur en hutte d'Indiens.

La maison était silencieuse. On n'entendait que les accords étouffés d'une sonate provenant de la salle d'études où Daisy répétait pour son examen.

Une abeille butinait paresseusement le chèvrefeuille qui grimpe jusqu'à la fenêtre de la nurserie et je fredonnais une vieille rengaine en pliant les pyjamas rayés des crapauds turcs.

Soudain, un cri affreux s'éleva dans la cage d'escalier, brisant cette paix idyllique.

– Jo, Jo!

Immédiatement, je sus qu'un drame était arrivé.

Je laissai tomber la pile de linge propre et me précipitai hors de la chambre.

– Cecil, où est Harry? m'écriai-je.

Instinctivement je pensai que Harry était en danger car, des O.V.2, c'est incontestablement lui le maître ès bêtises; c'est le plus téméraire... mais il est si adorable!

Je voyais déjà mon petit cousin empalé sur un tuteur de pois de senteur ou tombé sur la fourche du vieux poirier...

J'étreignis son frère dont je distinguais les grands yeux pathétiques au milieu d'une frimousse noire comme celle d'un ramoneur.

– Où est Harry, Cecil?

– Il... il... noyé! sanglotait l'aîné des crapauds.

– Noyé!

Mon cœur faillit s'arrêter de battre.

– On... on jouait près du pont, parvint à expliquer le rescapé... Il est... tombé à la rivière! On essayait seulement de se tenir sur les morceaux de bois, comme... les soldats! Il a coulé jusqu'au fond, Harry! Et puis...

Lâchant mon crapaud comme s'il avait été un charbon ardent, je fonçai dans le vestibule et... me heurtai de plein fouet à une masse énorme, sombre et dégoulinante, qui obstruait la porte d'entrée.

– Calmez-vous, fit une voix d'homme, chaude et rassurante. Tout va bien.

Interdite, je relevai les yeux le long d'un uniforme kaki ruisselant de vase et mon regard s'arrêta à mi-hauteur sur un Harry qui lui aussi ruisselait.

D'une voix mi-terrifiée, mi-ravie, mon crapaud s'écria :

– Jo! Jo! J'ai tombé dans l'eau! C'est rentré dans mon nez; mais le gentil monsieur, il a sauté pour me rattraper. Mais tu sais, Jo, mes chaussures, mes habits, tout est mouillé!

– Rassurez-vous, il n'a rien, précisa le héros.

J'espère que l'autre bambin ne vous a pas trop effrayée, miss Dale. Votre cousin est sain et sauf. Mettez-lui des vêtements secs et il en sera quitte pour la peur.

Il le posa par terre et Harry se jeta dans mes bras, maculant mon chemisier d'eau boueuse.

J'étais tellement soulagée que je faillis perdre toute dignité et fondre en larmes.

Je surmontai à temps cet instant de faiblesse et sommai Harry de monter à la nurserie. Je me retournai alors pour remercier son sauveteur.

Oh! C'était lui! Encore lui! L'officier du pont! Celui que je m'étais engagée à marier!

– Vous! Oh, c'est vous qui l'avez sauvé! balbutiai-je.

Dieu merci, après ce premier mouvement de surprise, je parvins à surmonter mon trouble.

– Vous êtes trempé, vous aussi. Il faut vous changer tout de suite.

J'ouvris la porte du vestiaire où sont rangés les vêtements civils de papa.

– Je vous en prie, choisissez parmi les vêtements de mon père. Je pense que vous trouverez un complet qui vous ira.

Et, l'abandonnant sans plus de façons, je courus à la nurserie pour mettre mon Harry dans un bon bain chaud.

Vingt minutes plus tard, nous nous retrouvâmes pour un thé improvisé, les O.V.2 enfin calmés, le héros du pont d'une élégance impressionnante dans le costume gris anthracite emprunté à papa, et moi, pitoyable dans ma blouse tachée que je n'avais pas eu le temps de changer.

Je ne pouvais faire abstraction de la fière allure du beau jeune homme brun assis en face de moi, même si je le détestais... ou plutôt, si je « l'avais détesté ». Car ces sentiments de haine n'étaient plus de mise envers celui qui n'avait pas hésité à s'enfoncer dans la vase pour sauver mon cousin!

J'étais bien obligée de reconsidérer mon opinion sur son attitude de la veille près du hangar : il s'était tout simplement emporté. Et qui pouvait le lui reprocher? N'avais-je pas moi-même souvent envie de secouer les crapauds turcs?

Dans ce salon, Mr Rowlands était redevenu lui-même, c'est-à-dire un jeune homme charmant qui fit honneur au thé et aux toasts, et bavarda comme un vieil ami de la famille, sous l'œil attendri des O.V.2.

Les principales victimes ayant visiblement oublié le douloureux épisode du hangar, j'aurais eu mauvaise grâce à ne pas en faire autant.

Je lui parlai donc de la visite de sa mère en taisant pudiquement la promesse que j'avais faite de lui trouver une fiancée avant l'achèvement du fameux pont!

— Oui, elle m'a assuré que vous aviez aimablement accepté de me recevoir.

Une lueur narquoise brilla dans les yeux bordés de longs cils bruns — je ne pus m'empêcher de songer que c'était du gâchis chez un homme!

— Sinon, j'aurais envoyé un de mes hommes raccompagner ce jeune homme, précisa-t-il en désignant Harry qui mordait à belles dents dans un énorme cake.

— Je ne me serais pas permis de me présenter en personne, ajouta-t-il encore.

— Pourquoi? demandai-je inconsidérément.

— Mais parce que ma lettre de l'autre soir est restée sans réponse, répliqua-t-il le plus tranquillement du monde. Oh, je méritais sans doute d'être éconduit, mais...

J'étais très mal à l'aise : je savais parfaitement que j'avais manqué aux règles élémentaires de la courtoisie en opposant une fin de non-recevoir à sa lettre d'excuses et en passant sous silence la gerbe de roses qui l'accompagnait.

Il ne me restait plus qu'à assumer les conséquences de mon impolitesse. Je relevai courageusement la tête et, en rougissant, je regardai Mr Rowlands bien en face.

– J'aurais dû vous répondre... C'est très mal élevé de ne pas l'avoir fait... Je... je vous prie de m'excuser. Et j'aurais dû aussi vous remercier pour... ces superbes roses.

– Je suppose que vous les avez jetées! lança-t-il à brûle-pourpoint.

Je ris pour cacher ma gêne.

– Eh bien, les avez-vous jetées?

– Non.

– Je vous en suis reconnaissant.

– Je... je les ai données à ma sœur.

– Oh!

Il venait de froncer les sourcils exactement comme devant le hangar pendant notre échange de propos... un peu vifs.

– Oh, je suis désolée, m'empressai-je d'ajouter du ton le plus convaincu. Je le regrette vraiment. Je vous en prie, dites-moi que vous n'êtes pas fâché.

– Oh, mais je suis très fâché, répliqua l'officier dont les sourcils se détendirent cependant. Quand on envoie des fleurs à une jeune fille, c'est pour qu'elle les garde!

– Oh, je sais! Je vous promets de ne plus recommencer, dis-je étourdiment.

– Ah! Vous me permettez donc de vous envoyer d'autres bouquets? remarqua aussitôt mon interlocuteur qui ne manquait pas d'à-propos.

– Non! Non...

– Oui? Non? Décidez-vous! fit-il en riant.

Chacune des reparties de ce jeune homme, pourtant aimable, ne faisait qu'augmenter ma confusion. Je lui versai une troisième tasse de thé en lui précisant que je n'avais pas voulu solliciter d'autres envois de fleurs.

– Je serais pourtant si heureux que vous acceptiez un autre bouquet, expliqua-t-il. Juste pour me permettre de vous prouver que je n'ai pas de rancune. Alors, acceptez!

Impossible de refuser : c'était demandé si gentiment.

– Eh bien, d'accord! Merci beaucoup.

– Quelles sont vos fleurs préférées?

– Les roses! Les roses! s'écria Cecil. Jo dit qu'elle les adore!

– Ce seront donc des roses, promit l'officier du pont. Des roses blanches, avec une légère touche de rose nacré... cela vous va si bien.

Il plaisantait, naturellement!

– Avez-vous d'autres désirs que je puisse exaucer, Jo?

Je répondis en riant à cette question absurde.

– Enfin! C'est bien suffisant!

– Non, rétorqua paisiblement mon invité.

Alors, il prononça une phrase extraordinaire dont je refusai un instant de comprendre toute la signification.

Se penchant par-dessus la table, il me fixa droit dans les yeux avec un regard... enfin, ce genre de regard qui ferait baisser les yeux de n'importe qui. Et, très distinctement, d'une voix parfaitement calme, qui me fit pourtant frissonner, il affirma :

– Pour vous, mademoiselle, je serais prêt à décrocher la lune!

Ce sont ses paroles exactes; aussi étrange que cela puisse paraître, c'est *exactement* ce qu'il a dit : « décrocher la lune »... pour moi!

Oh, ce n'était qu'une formule banale! Cependant, croyez-moi, elle me fit passer tous mes soucis : pour la première fois, j'oubliai que j'étais fiancée!

Comme j'allais répondre, Daisy, qui venait de terminer sa répétition, entra au salon.

– On vient d'apporter ceci pour toi, Jo, annonça-t-elle après avoir salué notre visiteur.

Elle me tendit un petit paquet.

– On vient de le livrer. Oh, comme c'est excitant! C'est peut-être un bijou.

– Un bijou? Tu plaisantes! C'est sûrement la vieille montre que j'ai donnée à réparer, fis-je en déchirant le papier.

Je découvris un petit écrin de cuir vert que j'ouvris avec méfiance... Oh, quelle fatalité! Une bague était posée sur un coussin de velours blanc.

– Ce doit être une erreur! Ce n'est sûrement pas pour moi!

Je tendis la bague vers la lumière : le soleil fit étinceler les pierres multicolores montées en croissant.

– Que tu es sotte! dit Daisy en souriant. C'est ta...

Elle ne put terminer sa phrase : l'un des crapauds venait de renverser son thé.

Mr Rowlands profita de cette diversion pour me demander en aparté, d'une voix légèrement altérée par l'émotion :

– C'est votre bague de fiançailles?

Ah, je ne suis vraiment pas une fiancée ordinaire!

La plupart des jeunes filles vous diront à quel point elles sont émues de voir enfin briller à leur doigt cette fameuse bague de fiançailles! Pour la montrer, elles n'hésitent pas à arranger leurs cheveux parfaitement coiffés de la main gauche, à vous passer à table le sel ou le beurre de la main gauche, ou, tout simplement, à laisser traîner paresseusement cette même main gauche sur les coussins du sofa que vient frapper un rayon de soleil...

Ce n'était pas mon cas.

Je ne souhaitais nullement parader avec la bague de Hilary Sykes au doigt. Je n'avais qu'une envie : enfermer ce maudit bijou dans un tiroir de ma commode! C'était pourtant un fort bel objet, révélateur des goûts artistiques de mon fiancé.

— Je la trouve horriblement démodée, décréta Daisy dans la soirée.

— C'est intentionnel, expliquai-je. Hilary me dit dans sa lettre que c'est la réplique exacte d'une bague ayant appartenu à la reine Anne.

— Moi, j'aurais préféré quelque chose de plus moderne, insista ma sœur en faisant la moue. Un solitaire a plus de classe que ce mélange de pierres dépareillées. On dirait des échantillons.

— Mais elles ont une signification! Regarde : Topaze, Emeraude, Nacre, Diamant, Rubis, Emeraude, Saphir, Saphir, Emeraude! Cela fait « tendresse »...

— Quel aveu passionné, susurra Daisy sarcastique. « Tendresse »? C'est tout ce qu'il ressent à ton égard? Quel impétueux amant, ma chère sœur!

— Je n'ai que faire de sa passion, marmonnai-je en me rappelant à quel point j'avais été soulagée d'échapper à un baiser parfaitement inoffensif. Et je suis très touchée que Hilary ait pensé à la bague dans la précipitation de son départ.

Je lui écrivis donc pour le remercier et le féliciter de son choix. Je signai :

Votre dévouée fiancée,
Joséphine Dale.

Ce n'était sans doute pas la formule idéale pour terminer une lettre d'amour...

Il me revint à l'esprit que Molly signait « ta reine de cœur », quand elle écrivait à son pilote, et qu'elle devait toujours payer une surtaxe pour excédent de poids!

J'eus pour ma part les plus grandes difficultés à couvrir le recto d'un feuillet du papier à lettres, de format pourtant modeste, qu'on utilisait à la maison.

Le seul événement que j'aurais eu plaisir à relater, c'était le sauvetage de Harry par Mr Rowlands. Mais il me parut superflu d'en parler à mon fiancé, qui ne s'intéresse pas aux enfants en général et encore moins aux insupportables crapauds. Et, comme ses sentiments envers l'armée n'étaient pas particulièrement chaleureux, je décidai de ne pas mentionner non plus la visite de l'officier du pont. Après réflexion, j'ajoutai néanmoins le post-scriptum suivant :

Un certain Mr Rowlands, l'officier qui dirige la construction du pont, est venu prendre le thé; sa mère et la nôtre étaient amies de pension. Quel dommage que maman n'ait pu le rencontrer!

Je devais d'ailleurs reconnaître que le comportement de cet officier était passablement étrange.

Avant même que le thé ne soit fini, juste après l'incident de la bague, comme je venais de lui confirmer que j'étais effectivement fiancée, il s'était levé brusquement et s'était éclipsé avec le beau costume de papa!

Sans doute laisserait-il à son ordonnance le soin de le rapporter...

Je me suis trompée! Il a rapporté lui-même les vêtements de mon père vers 5 heures. Il ne s'est pas contenté de les remettre à Elisabeth avec sa carte, comme vous pourriez le supposer : il a demandé miss Dale.

Je le reçus donc moi-même et nous bavardâmes assez longuement.

Il me confia qu'il était fort étonné que sa mère ait négligé de lui parler de mes fiançailles et manifesta le désir de rencontrer mon fiancé.

Je lui expliquai que Hilary était en Ecosse pour affaires et qu'il m'était impossible de savoir s'il serait de retour avant l'achèvement du pont.

– Le pauvre garçon doit maudire le sort, dit-il alors en croisant ses longues jambes. Cette séparation au début de vos fiançailles doit être bien douloureuse...

– Eh oui, répondis-je.

Cette sobre remarque me parut plus appropriée aux circonstances que celle qui m'était aussitôt venue à l'esprit : « Vous savez, c'est plutôt un soulagement!... »

La conversation tourna autour des fiançailles et des fiancés et l'officier finit par m'avouer que sa mère rêvait de le voir marié.

– Je sais, dis-je étourdiment.

Il éclata de rire.

– Saperlipopette, elle vous l'a dit!

– Oh, j'attire toujours les confidences, répliquai-je. Votre mère semblait regretter vivement que les femmes n'aient aucune place dans votre existence.

Je m'interrompis : un large sourire se dessinait sur le visage de mon interlocuteur.

– Oh, naturellement, je suis sûre que votre mère se trompe, repris-je avec raideur. Les mères se font toujours des illusions sur le compte de leurs fils. Je ne doute pas que vous soyez un véritable don Juan assailli par les femmes.

– Oh non! Ce n'est pas le cas, je vous assure, rétorqua-t-il avec cette insupportable lueur d'amusement dans le regard. Si j'ai ri, c'est parce que j'imaginais quelle serait la stupéfaction de ma mère si elle apprenait que son rêve avait bien failli se réaliser quand j'avais dix-huit ans!

Il s'installa confortablement dans le fauteuil et croisa les mains derrière sa nuque.

– Ah, si seulement elle avait daigné m'accorder

un regard, je l'aurais épousée sur-le-champ! C'était une serveuse de bar, une petite...

– Une serveuse! m'exclamai-je, horrifiée.

– Mais quelle enfant charmante! Elle avait les plus beaux yeux du monde...

– Elle n'aurait sûrement pas plu à votre mère. remarquai-je sévèrement. Elle préférerait sûrement vous voir épouser une de mes amies. Ce sont toutes des jeunes filles qui ont reçu une excellente éducation. Je lui ai promis de vous en présenter autant que...

Je m'interrompis, glacée d'effroi: je venais de dévoiler notre secret! Comment avais-je pu parler aussi inconsidérément?

J'espérais que mon bel officier n'aurait pas relevé mes paroles, mais c'était trop demander.

– Voulez-vous répéter...

– Oh, c'est sans intérêt!

– Vous avez promis à ma mère de me trouver une âme sœur? reprit-il d'un ton ironique. Vous avez accepté de jouer les entremetteuses!

Je restai muette. Il continua:

– Quelle charmante intention!

Il renversa la tête sur le coussin vieux rose du fauteuil favori de maman et partit d'un formidable éclat de rire.

J'en fus si mortifiée que pendant quelques secondes je jouai la dignité offensée... Puis, brusquement, son hilarité me gagna: son rire était si contagieux!

Lorsqu'il parvint à retrouver son sérieux, il demanda:

– Alors, que comptez-vous faire?

– Faire? répétai-je en ouvrant des yeux ronds.

– Mais oui! Vous allez passer à l'action, n'est-ce pas?

– Vous ne voudriez quand même pas..., commençai-je, ahurie par sa réaction.

– Mais si, mais si! rétorqua-t-il avec un nouvel éclat de rire. Au fond, ma mère n'a pas tort. Se marier jeune, épouser une gentille fille, c'est ce qui peut arriver de mieux à un homme.

Je le regardai, stupéfaite.

– Ah, si votre mère vous entendait! m'exclamai-je. Comme elle serait heureuse!

Toutefois, il ne paraissait pas totalement convaincu.

– Bien sûr, je serais ravi de lui faire plaisir, mais je préfère ne pas lui donner trop d'espoir pour le moment. Enfin... je peux quand même essayer de me fiancer avant de partir pour le front.

Et, me regardant avec candeur, il ajouta :

– Alors, miss Jo, vous acceptez de me prendre en main?

– Vous voulez réellement que je vous aide à...

– Oh, vous êtes la seule personne au monde qui en soit capable!

Cette marque de confiance me toucha : ainsi, il ne me considérait pas comme une enfant, mais comme une femme d'expérience...

– Parlez-vous sérieusement, Mr Rowlands?

– Mais tout à fait!

Je le regardai par-dessus ma corbeille à ouvrage. Mes sentiments à son égard avaient bien évolué depuis l'incident du hangar; comment avais-je pu le traiter d'Attila?

Depuis qu'il avait plongé dans la rivière sans se soucier de son bel uniforme, force m'était de reconnaître que ce beau garçon alliait aux qualités de l'esprit celles du cœur.

Ces belles qualités ne devaient pas être gâchées. Tant de jeunes filles rêvaient de se fiancer qu'il me serait facile de lui trouver une épouse digne de lui et capable de le rendre heureux.

– Vous allez avoir une rude tâche, dit-il en souriant.

– Oh, la difficulté ne me fait pas peur! rétorquai-je. A la maison, c'est déjà moi qui assume toutes les responsabilités!

– Il y a un aspect de la question que vous n'avez peut-être pas envisagé.

Je le regardai; il se tenait maintenant dans l'embrasure de la porte et sa tête touchait presque le haut du chambranle.

– Quel aspect, Mr Rowlands?

– Je vais être obligé de vous infliger ma présence très souvent, fit-il, la main sur la poignée de la porte. Il va nous falloir dresser des plans ensemble et j'aurai fréquemment besoin de vos précieux conseils.

Il hocha pensivement la tête.

– Hélas, miss Jo, il vous faudra beaucoup de patience dans les semaines à venir.

– Oh, mais vous ne m'importunerez jamais, puisque je vous verrai pour la bonne cause, assurai-je.

Nous échangeâmes une chaleureuse poignée de main pour sceller notre pacte...

Oh, quelle vigueur dans cette poignée de main! Mes doigts en étaient presque douloureux : heureusement que la bague de fiançailles se porte à la main gauche!

Nous sortîmes dans le jardin et en guise de congé il m'adressa un petit salut militaire. Je lui souris, debout sous le porche, dans le chèvrefeuille, et il me rendit mon sourire.

Avant de s'éloigner à grands pas sur la route il s'écria gaiement :

– N'allez pas dire plus tard que je ne vous ai pas prévenue de ce qui vous attendait!

Quelle signification devais-je accorder à ces paroles sibyllines?

2

« On recherche jeune fille acceptant d'être séduite, fiancée et mariée en six semaines, pour jeune et beau militaire : brun, grand, voix chaude et profonde, intelligent – formation d'ingénieur –, caractère vif mais peu rancunier. »

N'était-ce pas une fiche digne d'une agence matrimoniale de bonne réputation?

En tout cas, mon officier était un prétendant qu'on pouvait présenter sans honte, même à sa propre sœur.

C'était d'ailleurs le mari que j'aurais souhaité pour Daisy, mais il était hors de question de distraire ma sœur de ses chères études musicales pendant les semaines à venir.

Je me tournai donc vers la seconde candidate possible : Molly.

En allant poster ma lettre quotidienne à ma mère, je croisai l'ingénieur qui remontait du chantier. Comme il m'interrogeait en riant sur le résultat de mes démarches, je ne fus pas peu fière de lui donner une preuve de mon efficacité.

– Jolie, j'espère? demanda-t-il gravement en m'escortant jusqu'à la boîte aux lettres.

– La plus jolie fille de la région!

– Non? Quand me la présenterez-vous?

– Jeudi prochain, annonçai-je. Il y a un concert à l'hôpital au profit des blessés de guerre et elle doit y chanter.

– Ah! *Elle* chante donc! Formidable! Je suis ravi d'apprendre que ce joli visage possède aussi une jolie voix... Mais daignera-t-elle me faire don de toutes ces merveilles?

– Oh, mais j'en suis absolument convaincue! Elle traverse une mauvaise passe... enfin, tentai-je de corriger, je veux dire... je suis sûre que vous êtes faits l'un pour l'autre!

L'officier du pont m'adressa un salut impeccable :

– Avec votre permission je passerai vous prendre jeudi avant le concert. Je suis bien trop timide pour m'y rendre tout seul.

Ce même jour, dans l'après-midi, Molly profita de ses deux heures de pause à l'hôpital pour me rendre visite.

Mais laissez-moi vous la décrire.

Molly, c'est l'Irlandaise type : un teint de lys et de rose, des cheveux de jais, des yeux bleus rieurs; une silhouette élancée et des attaches fines, détail capital pour un homme, selon maman.

Tant de charme ne pouvait que séduire Mr Rowlands.

Molly n'avait pas encore connu le grand amour. Il y avait toujours une pierre d'achoppement : ou le jeune homme n'avait pas un sou, ou elle s'apercevait au dernier moment qu'ils étaient mal assortis, ou ses parents s'opposaient catégoriquement au mariage.

Mon amie jurait chaque fois qu'elle en avait le cœur brisé, mais elle parvenait finalement à sortir indemne de ses tragédies amoureuses.

Dans ma chambre elle alla droit au miroir et entreprit de repoudrer son adorable petit nez.

– Je te prie de te faire particulièrement belle pour le concert de jeudi. C'est une occasion très spéciale, ma chère, lui appris-je tout de go, n'ayant pas l'habitude des circonlocutions. Après le spectacle, je te présenterai...

Je fis une pause pour ménager mes effets.

– Eh bien, qui donc?

– Ton futur fiancé!

– Mon fiancé, vraiment!

Molly ne manifesta pas davantage sa surprise et continua tranquillement à se poudrer le nez.

— Je vous laisse à vos illusions, miss Dale. Elles conviennent parfaitement à la future maîtresse de la demeure de Hilary Sykes. Sérieusement, je ne te vois pas dans le rôle d'une femme mariée.

— Et moi, donc, tu crois que je m'y vois? Mais laissons de côté mes fiançailles et parlons plutôt des tiennes.

Intimement persuadée que Molly ne ferait aucune objection à mes projets, je lui expliquai tout : Mr Rowlands, le désir de sa mère de le voir marié et la façon dont il avait donné son accord pour cette entrevue.

— Quoi? Il est prêt à épouser n'importe qui pour faire plaisir à sa mère! commenta Molly, incrédule.

— Pas « n'importe qui ». Une charmante jeune fille, rétorquai-je judicieusement. Et tu es sans conteste la plus charmante jeune fille qui soit!

— Et toi, sans conteste la plus drôle! s'exclama Molly l'Irlandaise. Vraiment, toi à qui on donnerait le bon Dieu sans confession!

Elle se mit à rire de si bon cœur qu'elle en lâcha sa brosse.

— Toi! Prendre un jeune homme sous ta protection et t'engager à jouer les entremetteuses pour ses beaux yeux! Ah, c'est trop drôle! Que doit-il penser de toi?

— Oh, mais rien de particulier, me défendis-je. Il me sait gré de l'aider à réaliser le vœu de sa mère, voilà tout.

— Le vœu de sa mère? Quel fils admirable! se moqua Molly. Ton protégé fera un excellent mari!

— J'en suis convaincue!

Sentant la nécessité de vanter les mérites de l'ingénieur, je précisai :

— Il est charmant. C'est exactement l'homme qu'il

te faut, Molly. Je t'en prie, cesse de rire. Je parle sérieusement.

Je la pris par les épaules.

– Ecoute-moi : tu m'as avoué toi-même que tu ne te trouvais déjà plus aussi jolie qu'autrefois. Le temps passe!

– Reconnais toutefois que je n'ai pas encore perdu mon sens de l'humour!

– Parce que tu penses faire preuve d'humour en te moquant des intentions louables de ta meilleure amie! m'offusquai-je. Enfin, Molly, il est grand temps que tu te maries : c'est une occasion inespérée! Donne au moins une chance à cet officier : accepte de le rencontrer jeudi.

– Je meurs d'envie de faire la connaissance de ton héros, rétorqua Molly en riant. De quelle couleur sont ses yeux?

– Noisette, à première vue; mais, en les regardant mieux, on y découvre des paillettes grises, et parfois même ils virent au vert.

– Quelle horreur! fit Molly.

– Comment ça? Tu verras comme ils brillent! Et ses cils sont tellement longs...

Molly ne parut pas convaincue par ma description enthousiaste. Décidément, il n'est pas facile de persuader une jeune fille à marier de se montrer raisonnable!

Avant son départ je lui dis :

– Je compte sur toi pour faire de cette rencontre une réussite. Promets-moi de te montrer à la hauteur.

– Cela dépendra du jeune homme, répondit mon amie. Il n'est pas dit que nous nous plairons.

Qu'y a-t-il de plus précieux pour une fiancée séparée de son promis que l'échange de longues lettres d'amour?

On m'avait même parlé d'une jeune fille qui

exigeait une lettre tous les matins alors qu'elle voyait son fiancé tous les après-midi...

Hilary Sykes m'écrivait d'Ecosse chaque jour. Comme j'enviais celles dont les prétendants ne sont pas capables d'un tel exploit!

J'avais eu quatre lettres au courrier du matin. J'ouvris celle de Hilary en premier pour me débarrasser de ce fastidieux pensum.

Ma petite fille adorée, écrivait-il (Quelle formule ridicule!)

Merci pour votre petite missive (encore un « petite »!) *de ce matin. Mais, ma chérie, comme elle est courte! Vous me dites que vous n'avez rien à raconter: vous savez pourtant bien que tout ce qui concerne votre adorable personne me captive.*

Je veux connaître vos mille petits espoirs charmants, vos pensées, vos idées; bref, je veux tout savoir des mouvements de votre esprit!

(Comme si je prétendais avoir un esprit!)

Dites-moi, par exemple, ce que vous avez lu. Je vous envoie d'ailleurs une liste de livres que j'aimerais que vous ayez lus pour que nous puissions en discuter ensemble.

J'aurais bien voulu qu'il me dise aussi comment trouver le temps de lire alors que j'avais déjà chaque jour trois lettres à écrire, à papa, à maman et à lui-même, que toutes les chaussettes des crapauds turcs étaient à repriser et que je devais en outre veiller à ce que Daisy se nourrisse d'autre chose que de gammes de piano!

Enfin, la lettre de Hilary contenait quand même une bonne nouvelle :

Je crains que mon absence ne se prolonge: les affaires de mon oncle sont si embrouillées! J'aimerais que mon adorable bébé en profite pour aller visiter sa future demeure. Et surtout n'hésitez pas à suggérer toute modification qui vous semblerait utile.

Son adorable bébé! alors que j'avais dix-neuf ans!

Quant à « suggérer des modifications »... Je n'osais même pas imaginer les réactions de la vieille Mrs Ford, sa gouvernante, si je faisais preuve d'une telle impudence!

Il concluait :

Mille tendres pensées de votre dévoué Hilary. P.S. Demandez à cette excellente Mrs Ford où est mon foulard de soie vert irlandais, orné d'un monogramme dans le coin gauche. Impossible de le trouver.

La seconde lettre était de ma mère. Elle m'y racontait notamment qu'elle avait acheté deux adorables petites culottes pour mon trousseau à Paris! Pourquoi donc se croyait-elle obligée de remuer le fer dans la plaie?

Dans la troisième, Mrs Hugues me remerciait d'avoir si obligeamment reçu son fils à qui j'avais servi, paraît-il, « la meilleure tasse de thé qu'il ait bue depuis qu'il a quitté le Pays de Galles ».

La dernière lettre, de loin la moins conventionnelle, m'était justement adressée par ce bien-aimé fils.

Il allait droit au but :

Une grosse huile doit venir cet après-midi inspecter notre pont qui, je l'espère, ne s'écroulera pas sous son poids. De ce fait, je ne serai pas libre avant 4 heures et demie au plus tôt.

A mon grand regret je ne pourrai donc pas passer vous prendre comme convenu. Dommage! Je filerai à l'hôpital dès que la grosse huile se sera décidée à repartir pour Londres.

En attendant cet instant, vôtre, toujours, R.L. Rowlands.

Quel fâcheux contretemps! J'aurais tant voulu que l'ingénieur entende Molly qui devait ouvrir le concert pour les blessés de guerre!

Je m'étais installée au cinquième rang, encadrée

par les O.V.2., méconnaissables dans leurs vêtements propres, encore vivement contrariée par l'absence de Mr Rowlands.

J'avais tant souhaité qu'il voie sous son meilleur
jour l'épouse que je lui réservais : elle avait une si
jolie voix!

Je lançais des regards désespérés en direction de
la porte chaque fois qu'un retardataire se glissait
sur la pointe des pieds dans la salle déjà pleine :
mais l'ingénieur ne se montrait toujours pas.

Après *La poupée cassée*, Molly interpréta une
ballade irlandaise assez nostalgique pour, selon sa
propre expression, « faire fondre le cœur de tous les
mâles. »

Les blessés l'applaudirent avec frénésie. Ah,
comme j'aurais voulu que l'officier soit témoin de
leur enthousiasme! Cette « grosse huile » allait-elle
enfin se décider à remonter en voiture? Pourquoi,
oh, pourquoi, Mr Rowlands n'arrivait-il pas?

De nouveau je me retournai vers la porte : personne!

La voix de Molly était pleine de ferveur :
Je te serai toujours fidèle,
A toi et à tes beaux yeux bleus...
chantait mon amie qui avait flirté avec des yeux de
toutes les couleurs du kaléidoscope!

Mais quelle importance? Dès que je l'aurais pré-
sentée au lieutenant Dick Rowlands, elle deviendrait fidèle à des yeux bruns aux reflets gris-vert, à
jamais...

Enfin, au cours de l'entracte, j'aperçus celui dont
j'espérais tant la venue. Sa belle chevelure et ses
larges épaules kaki dépassaient de la multitude des
spectateurs. Il se fraya un passage vers moi.

— Me voilà, déclara-t-il, les yeux brillants de satisfaction.

— Vous n'êtes pas en avance, marmonnai-je par-
dessus la toison brune de Cecil. Vous avez manqué

le plus intéressant : Molly ne chante pas dans la seconde partie, elle joue simplement du piano. Quel dommage! Pourquoi êtes-vous si en retard?

– Le général n'en finissait pas de vanter l'importance stratégique du pont.

– Et on dit que les femmes sont bavardes!

– Mais, miss Jo, ce pont est d'un intérêt vital pour notre pays!

J'étais sur le point de rétorquer : « Ce pont a-t-il donc plus d'intérêt pour vous que votre futur mariage? », lorsque je pris conscience que notre petit groupe était l'objet de l'attention générale. Les bonnes âmes du voisinage étaient tout ouïe dans l'espoir de surprendre quelque nouvelle à colporter.

– Ensuite je me suis précipité à mes quartiers pour me faire beau, murmura le jeune officier en souriant aux O.V.2 qui le fixaient avec des yeux béats d'admiration. Enfin, je suis là, c'est l'essentiel : cheveux bien peignés, visage fraîchement rasé, bottes cirées, bref, prêt à rencontrer la charmante personne...

– Nous irons la rejoindre à la fin du spectacle. Dieu soit loué, vous avez quand même réussi à venir, soupirai-je.

Mon intuition me disait que, malgré ce contre-temps, l'opération allait être un succès.

Je m'apprêtais à prendre Harry sur mes genoux pour permettre à Mr Rowlands de s'asseoir à côté de moi quand un stupide non-gradé s'avisa de lui trouver un siège près du groupe d'officiers venus assister à la représentation. Je le perdis de vue dans la foule.

Peu après, la vedette du spectacle en personne, tout excitée, vint me rejoindre.

– Molly!

Mon amie arborait ce que ma mère appelait « ses peintures de guerre », un mélange de fards qui lui donnait cet éclat particulier, annonciateur d'une nouvelle aventure amoureuse.

— Suis-je assez jolie? murmura-t-elle. Oh, Jo! Je retire tout ce que je t'ai dit l'autre jour : je ne savais pas à quoi ressemblait ton prétendant. Tu as raison, il est merveilleux!

— Qui est merveilleux? fis-je, les yeux arrondis de stupeur.

— Ton fameux Mr Je-ne-sais-quoi, celui que tu as promis de me présenter, précisa Molly, enthousiaste, l'officier du pont!

— Quoi! m'exclamai-je à mon tour. Tu l'as donc déjà vu?

— O... oui, susurra mon amie. Oh, Jo! Dis-moi : suis-je assez belle? Ai-je bien chanté? Dis-moi la vérité : ai-je des chances de plaire à ce jeune homme?

La réalité dépassait mes rêves les plus ambitieux!

— Je te le présenterai dans la véranda pendant qu'on servira le thé, promis-je. Espérons que sa conversation te séduira autant que son physique!

— Oh, j'en suis déjà convaincue! s'écria Molly. J'ai bavardé un long moment avec lui avant de venir te trouver.

Je la regardai avec ahurissement par-dessus mon programme.

— Tu lui as déjà parlé?

— Oui, il m'a raconté qu'il travaillait sur le chantier. Il m'a surtout dit que mon interprétation de *La poupée cassée* lui avait arraché des larmes, Jo!

— Mais... Comment a-t-il pu t'entendre? Il vient d'arriver.

— Voyons, il était là dès le début du concert, assis au premier rang, m'apprit mon amie avec un petit clin d'œil joyeux.

Puis elle s'éloigna, me laissant perplexe. La seconde partie du concert débuta.

A peine le *God save the king* achevé, je vis Mr Rowlands qui se frayait un chemin à travers la foule pour nous rejoindre.

— Allons prendre le thé, dit-il, plein d'entrain. Suivez-moi, miss Jo. J'ai réservé une bonne table.

— Oui, Molly m'a expliqué que vous aviez déjà tout arrangé, répondis-je de la voix satisfaite du chaperon qui a réussi à déjouer les ruses de ses protégés.

Il parut surpris.

— Arrangé, moi? Avec miss Molly?

— Mais oui, la jolie infirmière qui chantait; celle à qui vous vous êtes présenté vous-même.

— Mais... Je ne me suis présenté à personne, miss Jo. Je n'ai parlé à aucune autre femme en vous attendant, m'expliqua-t-il en me guidant vers la véranda.

— Comment? me récriai-je, stupéfaite. Comment?

— Et voilà! s'exclama alors dans mon dos Molly dont je reconnus l'inimitable accent irlandais. Toi aussi, tu t'es fait accompagner d'un ami, Jo?

— Moi aussi?

Je remarquai alors un petit officier en tenue kaki dont le moins qu'on puisse dire est qu'il manquait de prestance pour un gradé.

— Je vous présente la mascotte du chantier, dit au même moment Mr Rowlands en désignant l'homme au visage poupin : c'est le révérend lieutenant Reggie, ancien vicaire.

— Ah, que voulez-vous, on ne se refait pas, dit le révérend d'une voix sirupeuse.

Molly lui adressa un sourire béat, comme si elle n'avait jamais entendu de plaisanterie plus spirituelle.

Le révérend Reggie poursuivit, avec la componction d'un évêque lisant les textes sacrés :

— Voyez-vous, ma vocation passée exigeait de moi

un maintien plein de réserve, tandis que mes activités présentes... (il inclina son calot) m'autorisent à me montrer éblouissant!

Le petit bonhomme nous abreuva de mots d'esprit pendant que nous prenions le thé. Les filles de la duchesse, venues tout spécialement de leur château situé à plus de dix kilomètres, nous servirent des fraises à la crème.

Deux représentantes de l'ordre moral du comté, à la table voisine, nous lançaient des regards désapprobateurs et je devinai sans peine leurs pensées :

« Voilà! Cette écervelée de Mrs Dale n'a pas sitôt tourné le dos pour aller jouer les cantinières à Paris que sa fille Joséphine en profite pour se dévoyer avec les militaires du pont! Et elle est fiancée! N'est-ce pas une honte? »

Maman m'avait toujours dit qu'il était dans la nature humaine de trouver son plaisir à choquer les grincheux : je vérifiai la justesse de son jugement en m'amusant follement de la désapprobation de nos voisines. Deux incidents fâcheux vinrent toutefois gâter ma joie.

D'abord, Cecil renversa ses fraises sur l'élégant tablier de mousseline de notre aristocratique serveuse, qui, Dieu merci, se montra particulièrement magnanime en la circonstance.

Mais surtout, le petit vicaire-lieutenant fit systématiquement obstruction à tout aparté entre Molly et mon ingénieur venu tout spécialement pour elle.

Je sentis la nécessité de remédier à ce contrariant état de choses. Dès que nous eûmes terminé notre thé, je pris délibérément mon amie par le bras en décrétant qu'elle rentrait avec nous à la maison où j'improviserais un dîner. Je lançai à Mr Rowlands un regard qui en disait long sur ce que j'attendais de lui...

Eh bien, que pensez-vous qu'il fit? Il suggéra chaleureusement au révérend Reggie de se joindre à nous!

Dominant mes envies de meurtre, je susurrai en souriant :

– Oh, quelle excellente idée!

Je crois même, qu'inconscient de son manque de tact, il aurait été capable de laisser Molly et l'ex-vicaire rentrer tout seuls par quelque chemin romantique si je n'étais intervenue à temps. Je demandai aux deux hommes de nous précéder avec les O.V.2 et retins Molly en arrière.

Je l'admonestai sans ménagement et conclus :

– Attention, Molly, ne t'avise pas de tout gâcher! C'est bien compris?

Elle me gratifia de son regard le plus innocent.

– Mais je n'en ai nullement l'intention, assura-t-elle. Ne te mets pas dans cet état; tu vas abîmer ton teint de lys et de rose, Jo! Je ne vois d'ailleurs pas ce qui t'inquiète!

– Oh si! Vous le voyez parfaitement, jeune demoiselle! rétorquai-je sévèrement. Je me suis donné beaucoup de peine pour vous et ce n'est pas maintenant que je renoncerai à faire votre bonheur. J'ai décidé que cette rencontre se terminerait par un beau mariage, alors ne donnez pas l'impression que vous vous méprenez sur le jeune homme qu'il vous faut séduire!

– Oh, Jo, je n'en ai pas l'intention, dit Molly en riant. Je te promets de n'avoir d'yeux que pour...

– ... l'ingénieur du pont, achevai-je, un peu rassurée.

Je regardai la haute silhouette de l'officier qui marchait devant nous sur la route, flanqué du petit vicaire, engoncé dans son uniforme, qui trottait à ses côtés.

Mais cette petite sorcière de Molly me sidéra en lançant ingénument :

– Certainement pas! Pour le mignon révérend!

– Pardon?

Je faillis hurler d'horreur.

– Enfin, il ne peut pas te plaire!

– Et pourquoi pas, Jo? Je le trouve extrêmement séduisant ce petit homme, et tellement drôle!

– Sous prétexte qu'il fait des plaisanteries de patronage?

– Ne sois pas si blasée, Jo. Je l'admire, moi, ce garçon. Je trouve formidable qu'il ait renoncé à sa vocation pour répondre à l'appel de la patrie et qu'il accepte d'affronter l'ennemi sans se retrancher derrière de vains scrupules de conscience.

L'excitation empourprait ses joues.

– Il prouve que tous les vicaires ne sont pas des lâches!

– Molly! me récriai-je encore, sérieusement alarmée. Tu préfères vraiment le révérend à *mon* officier?

Ah, jamais plus je ne me fierai à mon intuition! Mes premiers efforts de marieuse étaient irrémédiablement réduits à néant!

Les deux prétendants, le mauvais et le bon, s'étaient arrêtés pour nous attendre à la grille du jardin. J'adjurai une dernière fois mon amie de faire preuve de bon sens.

– Honnêtement, Molly, l'ingénieur n'est-il pas cent fois plus séduisant?

– C'est l'autre qui me plaît! s'exclama Molly avec ferveur. Et cette fois, je sens que c'est sérieux.

Et voilà! C'était « sérieux »! Avec cet exaspérant petit vicaire!

A la maison, pendant le dîner, pas une fois il ne détourna son regard de mon amie. Même Daisy, si obsédée fût-elle par sa musique en ce moment, remarqua son manège.

Quant à Mr Rowlands, je dois dire qu'il parut fort bien prendre la chose. Il me fit gaiement la conversation et ne laissa pas deviner qu'il venait de subir un cruel affront : il cacha courageusement sa déception.

Il resta même pour écouter Daisy jouer, alors que son compagnon s'était éclipsé pour reconduire la traîtresse à l'hôpital.

Il ne m'était pas difficile d'imaginer comment elle occuperait son temps libre dans les jours à venir!

L'officier devina mes soucis.

– Allons, ne soyez pas triste, miss Jo, dit-il après leur départ. Vous avez fait le bonheur d'un couple.

– Oui, mais pas du bon! constatai-je au bord des larmes. Pour eux tout est pour le mieux dans le meilleur des mondes, mais que vais-je faire de vous, à présent? Que vais-je faire de vous?...

Je me décidai enfin à aller visiter la superbe demeure qui bientôt serait mon foyer, où je vivrai auprès de mon légitime époux...

J'en revins complètement déprimée! En passant devant la grande plaque qui annonçait *Les Tourelles*, je ne pus m'empêcher de penser que pour moi ce serait toujours *La Geôle*.

La vue de ces pièces impeccablement tenues, des peintures crème et des parquets trop bien cirés, des cuivres si étincelants qu'on aurait pu s'y mirer me fit froid dans le dos.

Je tentai de me raisonner en me disant que je finirais bien par m'y plaire. Il le fallait. Quand je serais mariée et qu'on me considérerait comme une jeune fille ayant réussi dans la vie, je serais sans doute à même d'apprécier ma chance...

La vieille Mrs Ford, la gouvernante de Hilary, tint à me montrer elle-même le jardin. Elle épiait d'un œil critique chacun de mes mouvements et je songeai avec frayeur qu'après mon mariage elle observerait ainsi tous mes faits et gestes.

Hilary ne s'en séparerait pas : il ne pouvait concevoir la vie aux *Tourelles* sans elle. Et elle, visiblement, ne pouvait concevoir la vie aux *Tourelles* avec moi !

– J'ai été bien étonnée en apprenant que vous vous installeriez bientôt ici en maîtresse de maison et en épouse, mademoiselle.

Ses propos n'étaient guère encourageants !

– Dieu sait pourquoi, je n'avais jamais imaginé une femme aux *Tourelles*, en tout cas, pas une femme aussi jeune que vous. Bien sûr, Monsieur n'est pas vieux : Trente-cinq ans, c'est la fleur de l'âge pour un gentleman; mais il est si soucieux de sa tranquillité, mademoiselle...

La façon dont elle prononça ce mot « tranquillité » me donna des frissons dans le dos. J'avais envie de courir vers la rivière en hurlant.

Je sais : une fiancée ne devrait pas avoir de telles réactions. Il me fallait dominer mes impulsions...

Changeons plutôt de sujet et revenons-en à Mr Rowlands.

N'est-il pas curieux que je sois si pressée de marier les autres alors que je refuse énergiquement de penser à mon propre avenir?

Enfin, il y a quand même une lueur d'espoir : j'ai une autre fiancée en vue pour mon officier, que j'ai d'ailleurs croisé en sortant des *Tourelles*.

Il rentrait chez le passeur pour déjeuner. J'avais des pieds-d'alouette bleu ciel et violets plein les bras. Il m'en débarrassa aussitôt et offrit de les porter jusqu'à la maison.

C'était deux jours seulement après le fiasco du concert. Je trouvai très généreux de sa part de me pardonner ma malencontreuse initiative. Bien des hommes à sa place auraient rendu l'infortunée marieuse responsable de leur échec.

Mais Mr Rowlands se montra très correct, assurant que je ne pouvais pas forcer les sentiments d'une jeune fille qui avait eu le bon goût de lui préférer un autre homme.

– Oh, je n'appelle pas ça du bon goût, répliquai-je. Vraiment, je ne vois pas ce qu'elle lui trouve.

– Croyez-moi, ma chère, dans les affaires de cœur, personne ne connaît la réponse à ce genre de question.

– Hum... il n'est pas difficile de deviner ce que le révérend Reggie trouve à mon amie Molly!

– Je n'en sais rien, dit ingénument l'ingénieur.

– Comment? me récriai-je en fixant avec des yeux ronds son beau visage franc. Vous voulez dire que même s'il ne vous avait pas... devancé, Molly ne vous aurait pas plu?

– Honnêtement, non, répondit cet étrange garçon.

Je le considérai avec intérêt : c'est toujours précieux de savoir ce qu'un jeune homme pense de votre meilleure amie.

– Enfin, vous ne l'avez pas trouvée jolie? Cette adorable frimousse, cette...

– La frimousse d'une jeune fille vaine, futile et légèrement imbue de sa personne, déclara solennellement l'ingénieur. Ce jugement doit vous paraître bien sévère...

– C'est le moins qu'on puisse dire, acquiesçai-je, perplexe.

– Vous m'avez demandé mon opinion. Pour moi, votre amie est une belle fleur sans parfum.

– Quoi? Enfin, tout le monde s'accorde à dire que Molly a un charme extraordinaire!

– Pas moi!

– Que vous faut-il donc?

– Davantage que de beaux yeux, un contralto émouvant et un rire coquin...

Nous étions arrivés à la grille de la maison; il tenait toujours les fleurs et ses yeux brillaient derrière le grand bouquet.

53

– Si j'avais le choix, miss Jo..

– Eh bien?

– Je voudrais... Oh, comment dire?... Je cherche une jeune femme au charme moins superficiel, dit avec gravité l'officier, oubliant sans doute à qui il s'adressait.

Sa voix vibrait d'excitation contenue tandis qu'il décrivait la jeune fille idéale.

– Je voudrais que les contours exquis de sa bouche ne laissent échapper que des paroles douces et profondes; je voudrais que ses beaux yeux n'expriment que de belles pensées; je voudrais que son cœur soit bon et généreux pour tous, mais qu'il n'ait jamais battu pour un autre que moi...

Il s'interrompit avec un petit rire et... mais oui, il rougissait!

– Vraiment, miss Jo, vous devez penser que mon cas est sans espoir!

Mais l'espoir, justement, il venait de me le rendre : je connaissais la jeune fille qui convenait à Mr Rowlands. C'était May Smith, une amie de ma famille unanimement considérée comme une parfaite femme d'intérieur.

Miss Smith habite avec sa grand-mère. Son foyer est sa seule préoccupation. Elle fait tout chez elle. Pas comme moi par obligation, mais par goût, tout simplement!

Sa marmelade d'oranges est un vrai délice. Et que dire des housses de chintz qu'elle a faites pour son salon? Ce sont de pures merveilles! Le grand ménage de printemps, elle adore ça...

Donc, puisque Mr Rowlands semble désirer une épouse vertueuse, May est la femme qu'il lui faut.

Je n'avais pas de temps à perdre. Reprenant mes fleurs, je demandai à l'ingénieur :

– Etes-vous pris pour le thé cet après-midi?

– Mais certainement!

Je fus très déçue.

– Oh, vraiment?

– Mais oui! Pris par vous, si vous voulez bien de moi!

– J'allais justement vous demander de venir avec moi prendre le thé chez des amis, les Smith, qui habitent *Le Clair Logis*, tout près d'ici. Je voudrais vous présenter une jeune fille...

– Encore! s'exclama l'officier, et une expression amusée passa dans son regard.

– Parfaitement, encore! rétorquai-je avec fermeté.

– Vous faites preuve d'un zèle extraordinaire, miss Jo!

Il s'appuya nonchalamment sur la barrière blanche, peu soucieux apparemment d'être à l'heure pour le déjeuner.

– Et si aucune jeune fille ne parvenait à m'aimer?

– Ne soyez pas si pessimiste : ce n'est pas parce que la première n'a pas su vous apprécier...

– Alors, d'après vous, j'ai quelque chance de plaire? demanda-t-il d'un ton pathétique.

– J'en suis convaincue, le rassurai-je.

Et je le pensais. Quelle jeune fille pouvait demeurer indifférente devant ce visage bronzé aux beaux yeux rieurs?

Et puis, je songeai qu'il devait être agréable de se faire faire la cour par un homme aussi charmant; qu'on devait ressentir une certaine fierté à amener ce grand gaillard à vous murmurer de tendres aveux... pour celles qui attendent de tels aveux, naturellement. Dieu merci, ce n'était pas mon cas!

J'étais tellement perdue dans mes pensées que j'en oubliai de parler.

Brusquement, je revins à la réalité, confuse. L'ingénieur me regardait, lui aussi, et ses yeux semblaient pleins d'interrogations qu'il n'osait formuler.

– Euh..., fis-je en rougissant.

– Euh..., fit-il de même.

Absurde, non? Alors, nous éclatâmes de rire. Je rentrai avec les fleurs du jardin de Hilary, après une ultime recommandation :

– Il nous faut persévérer, Mr Rowlands, c'est la condition même du succès. Je vous présenterai autant de jeunes filles qu'il faudra, mais nous découvrirons la bonne, soyez-en persuadé!

Et c'est ainsi que l'après-midi, vers 5 heures, nous nous retrouvâmes devant *Le Clair Logis*, une ravissante villa qui, avec son toit rouge et son perron blanc, avait l'air de sortir d'une gravure.

A la vieille Mrs Smith qui nous reçut, je présentai Mr Rowlands comme le fils d'une amie de pension de ma mère.

A mon grand désespoir, elle commença par me féliciter de mes fiançailles. Heureusement, nous fûmes interrompues par l'arrivée de May dont l'apparence répondait parfaitement à mon attente.

Absorbée par quelque tâche ménagère, elle n'avait pas entendu la sonnette et elle parut « comme elle était », les joues rosies par l'effort, les cheveux en désordre et un grand tablier noué devant sa robe.

Maman se plaisait à nous rappeler que le tablier est un accessoire indispensable pour séduire un époux. Mr Rowlands serait-il sensible à ce noble symbole des vertus domestiques?

Le cœur battant, je fis les présentations.

3

Que celles qui, comme moi, envisageraient de jouer les marieuses tiennent compte de mon expérience.

Voici comment les choses se passèrent entre mon officier et ma seconde candidate.

May Smith regarda attentivement mon compagnon tandis qu'ils se serraient la main.

Elle n'était pas vraiment jolie, mais quelle importance?

L'ingénieur n'était-il pas resté de marbre devant la beauté de Molly?

Cette jeune personne proprette et foncièrement bonne avait donc toutes ses chances de ravir son cœur.

Et je crus discerner une sincère estime dans le regard qu'il lui adressa.

« Bon début », pensai-je, assise dans le petit salon banal mais qui sentait bon l'encaustique.

J'espérais qu'il remarquerait comme tout reluisait dans *Le Clair Logis* et je me faisais une joie de lui révéler que May faisait tout elle-même, la femme de ménage ne venant que deux fois par semaine pour les gros travaux.

Je me tournai donc vers Mrs Smith qui semblait surtout intéressée par mon propre mariage avec « ce cher, ce délicieux Mr Sykes ». Quand elle me demanda si la noce était pour bientôt, je faillis lui répondre : « Le plus tard possible, s'il ne tenait qu'à moi!... »

L'ingénieur admira le chat de May qui frottait affectueusement son museau contre les bottes du visiteur. La jeune fille lui apprit qu'il s'appelait « Chance » car un dicton populaire voulait que les chats noirs apportent la chance dans les maisons. Jusque-là tout allait pour le mieux...

Mrs Smith me dit ensuite que maman devait être enchantée de mes fiançailles et me demanda si j'étais impatiente de devenir la maîtresse de mon propre foyer. Je m'efforçai de lui répondre avec courtoisie tout en gardant une oreille attentive aux propos qu'échangeaient May et l'homme que j'avais décidé de lui faire épouser.

J'aurais tant voulu souffler à cette vertueuse enfant les répliques susceptibles d'impressionner mon officier! May qui, hélas, avait retiré son séduisant tablier, parlait toujours de son chat.

– Oui, quand il est arrivé, ce n'était qu'un minuscule chaton.

Un « oh, vraiment! » de l'officier.

– Il a cinq ans à présent.

– Non? Vraiment?

– Impossible de le dresser pour attraper les souris, hélas!

– Impossible, vraiment?

– Il ne mange que des miettes de pain trempées dans du lait.

– Vraiment! Non?

Je priai le ciel qu'elle se décide enfin à changer de sujet!

Mais c'était mal connaître May! Imperturbable, elle continuait à narrer les aventures du chat : le minet s'était endormi dans l'armoire à linge; il s'était pris les griffes dans les dentelles d'Irlande de sa plus belle taie d'oreiller : elle avait passé des heures à tenter de la ravauder, avec le plus fin des fils de lin, mais, hélas, la reprise restait visible...

L'ingénieur étouffa à grand-peine un bâillement. Seigneur! Il s'ennuyait!

« Ennuyer un homme, c'est la fin de tout, dit maman, mieux vaut l'agacer ou même le choquer! »

Je décidai qu'il était temps d'intervenir et je demandai à May si elle avait un ouvrage en train, dans l'espoir que ses talents de brodeuse impressionneraient l'ingénieur.

Elle répondit modestement qu'elle marquait en ce moment des taies d'oreiller. Je la suppliai aussitôt de nous les montrer.

– Oh, Jo, devant un homme! Tu n'y penses pas! s'écria-t-elle, apparemment horrifiée à l'idée d'étaler devant un militaire des pièces aussi intimes. Viens plutôt avec moi, ma chérie. J'en profiterai pour te montrer les merveilles que j'ai trouvées en soldes chez Beading.

Impossible d'y échapper! j'abandonnai donc l'officier qui, sans grande conviction, donnait son opinion sur « cette terrible guerre » à la vieille Mrs Smith, et suivis May jusqu'à la grande pièce où trônait son armoire à linge, le bien le plus précieux de cette âme domestique.

– Comme tu aimes ton rôle de maîtresse de maison, May! soupirai-je avec envie. Mais, dis-moi, ta satisfaction ne serait-elle pas plus grande si tu avais ton propre foyer, si tu étais mariée?

Le visage de mon amie s'empourpra et elle se retourna vivement pour déplacer un sachet de lavande.

– Je suis très heureuse comme ça, merci, Jo.

– Peut-être le serais-tu encore davantage si tu étais mariée, répétai-je avec obstination. Bien mariée, naturellement...

– Qu'entends-tu au juste par « bien mariée »? rétorqua vivement May.

Légèrement décontenancée, je balbutiai :

– Eh bien... euh... mariée à un homme séduisant!

– Je crains que ma conception du mariage ne soit extrêmement différente de la tienne.

Et elle se mit à vérifier méticuleusement une pile de serviettes. Je tentai toutefois de glisser un mot en faveur de mon candidat.

– Prends par exemple ce jeune officier, dans le salon...

– Le prendre? Par où? dit May dont le prosaïsme avait toujours refusé le sens figuré!

– Je veux dire, *regarde* ce jeune soldat. N'est-il pas séduisant?

– Jo! s'exclama May d'une voix profondément choquée. Oh, Jo!

– Quoi?

– Enfin, oublierais-tu que tu es fiancée?

– Oh, non! fis-je. Pourquoi?

– Ma chère, une jeune fiancée n'est pas censée trouver « séduisants » d'autres garçons que son futur époux!

Comment cette ennuyeuse petite May pouvait-elle proférer de telles inepties? Elle se remit à trier ses serviettes.

– D'ailleurs, Mr Hilary Sykes est infiniment plus séduisant que ce militaire, remarqua-t-elle enfin.

J'étais tellement sidérée que j'en demeurai muette.

– Je ne dis pas ça pour te faire plaisir, Jo, poursuivit-elle. Je trouve Mr Sykes si distingué!

– Tu trouves? balbutiai-je avec stupéfaction. Décidément, tous les goûts sont dans la nature!

– Quant au jeune officier, ce n'est au fond qu'un gamin. As-tu remarqué ses bottes poussiéreuses? Il a omis de s'essuyer les pieds avant d'entrer et a laissé une horrible marque sur le tapis: j'espère pouvoir la faire disparaître!

Devant la tournure que prenaient les événements, je jugeai préférable de hâter notre départ.

Mr Rowlands n'ouvrit pas la bouche jusqu'à ce que *Le Clair Logis* ne fût plus qu'un point à l'horizon.

J'étais, pour ma part, furieuse, littéralement furieuse. Ce n'était pas raisonnable, certes, et mon humeur noire était sans doute due à la fatigue: être fiancée vous met les nerfs à vif...

Enfin, l'officier rompit le silence et lança d'une voix amusée:

– Je crains que ce ne soit encore un échec, miss Jo!

– Vous craignez! répondis-je assez fraîchement.

– La jeune personne que nous venons de quitter ne daignera jamais jeter sur moi un regard bienveillant. Et, en toute franchise, je préfère qu'il en soit ainsi!

Cette dernière phrase me fit perdre tout contrôle et ma fureur éclata avec une violence qui me surprit moi-même.

– Oh, décidément, vous êtes trop difficile! lui jetai-je à la figure. Vous trouvez des défauts à toutes mes amies! D'abord Molly, ensuite miss Smith... D'ailleurs, je trouve bien audacieux de votre part de m'avoir demandé de vous les présenter!

Ma mauvaise foi était évidente, en l'occurrence, mais j'étais indignée par son comportement.

– Je vous prie de bien vouloir m'en excuser, répondit-il avec raideur. Désormais, je ne vous importunerai plus.

Sa politesse me parut l'arme la plus sournoise. J'en usai à mon tour :

– Je vous souhaite bonne chance! fis-je d'un ton glacé. Bonsoir, Mr Rowlands.

Et je courus jusqu'à la maison en abandonnant l'officier à son sort.

Mauvaises nouvelles de mon fiancé Hilary Sykes! Il m'a écrit ce matin qu'il espérait être de retour à Riverside lundi prochain. Triste lundi en perspective!

Ma réaction vous choque peut-être, mais à quoi bon dissimuler la vérité? Vous savez parfaitement que seul mon sens du devoir m'a poussée à accepter ce mariage : je me marie uniquement pour assurer l'avenir de ma mère en cas d'accident...

Ne soyez pas scandalisés! Moi, je trouve ma conduite plus méritoire que si je me mariais par envie! N'écouter que ses envies, c'est de l'égoïsme pur et simple!

J'enrage pourtant de ne pouvoir confier mon désarroi : pour ma mère et pour ma sœur, ne suis-je pas de toute évidence le genre de fille à faire un mariage de raison?

Mon père, quant à lui, m'a écrit du front que ce vieil Hilary était un « chic type » et ferait un excellent mari pour sa petite Jo...

Quant à l'officier... j'éprouve à son égard un mélange de colère et de culpabilité.

Je me sens coupable d'avoir échoué dans ma mission et d'avoir failli à la promesse que j'avais faite à sa mère de lui trouver une épouse avant l'achèvement du pont.

Et puis, je me rappelle à quel point il a été odieux avec moi et une bouffée de colère m'envahit.

Une chose est certaine : jamais plus je ne pourrai entendre prononcer le mot « pont » sans me sentir humiliée et déprimée.

Force me fut pourtant de descendre un après-midi sur le chantier dans l'espoir d'y récupérer les crapauds qui avaient disparu à l'heure du thé.

Mr Rowlands était devenu leur idole et j'étais sûre de les trouver en train de jouer dans la boue et les gravats. Ils se tenaient à une distance respectueuse de leur héros qui nous tournait le dos et lançait des ordres à un soldat juché sur un pilier dominant la rive.

– Oh, vous deux! Je vous ai cherchés partout, m'exclamai-je à mi-voix pour ne pas éveiller l'attention de Mr Rowlands avec qui j'étais toujours fâchée.

Il eût été regrettable qu'il s'aperçoive de ma présence alors que justement j'avais revêtu une robe de piqué rose qui me seyait à ravir.

– Venez immédiatement prendre le thé!

– Oh, Jo! demanda alors Cecil, Mr Rowlands et le révérend, y peuvent pas venir?

– Sûrement pas! répondis-je d'un ton aigre.

J'essayai en vain de les entraîner discrètement.

– Oh, pourquoi? Pourquoi y peut pas venir, Mr Rowlands? claironna à son tour Harry. Pourquoi, Jo?

Il était impossible que ces cris n'aient pas ameuté tout le chantier!

Le révérend Reggie, le visage plein de boue, nous adressa de grands signes amicaux. C'est alors que l'ingénieur se retourna.

– Pourquoi y peut pas venir prendre le thé à la maison, Jo? renchérit Cecil. C'est que tu l'aimes plus?

Cette réflexion, particulièrement mal venue, augmenta encore ma confusion et je me sentis rougir jusqu'à la racine des cheveux.

– Euh... Mr Rowlands n'a sûrement aucune envie de venir prendre le thé à la maison...

– Oh, mais si! rétorqua Harry. Il a dit qu'il veut toujours venir chez nous, hein, Cecil?

Et il alla se jeter dans les jambes de son héros.

L'officier se libéra en riant et lui tapota paternellement la tête. Il ne m'accorda pas même un regard.

– Désolé, mon vieux, aujourd'hui je suis pris.

Malgré son affabilité apparente, je discernai dans sa voix une pointe d'amertume. Etait-il vraiment pris ou avait-il compris que je ne tenais pas à le recevoir?

Pourquoi la vie d'une jeune fille est-elle jalonnée de tant de complications? Je demeurai un moment sans réaction. Au fond, je trouvais la situation ridicule : pourquoi nous quereller ainsi alors que nous avions passé de si belles heures ensemble?

Ma colère finit par l'emporter. « Après tout, me dis-je, Mr Rowlands n'a sans doute aucune envie de faire la paix. « J'empoignai fermement les menottes des O.V.2 et, sans tenir compte de leurs récriminations et autres jérémiades, je les entraînai d'un pas décidé vers la maison.

Comme nous rentrions, Elisabeth m'annonça que j'avais reçu une lettre. Encore!

Je fus rassurée en m'apercevant qu'elle n'était pas de Hilary mais de ma marraine qui vivait à Londres.

Nous l'appelions tante Montague, bien que ce ne soit pas vraiment une parente mais une amie de grand-mère. Depuis qu'elle était veuve, elle consacrait la majeure partie de son temps à ses deux petits chiens, créatures ridicules qui me faisaient penser à des chrysanthèmes aboyeurs!

Sa richesse lui donnait sans doute le droit de négliger la famille d'un modeste architecte et c'était la première lettre qu'elle m'écrivait depuis que j'avais quitté l'école.

Et quelle lettre!

Tout d'abord, elle se déclarait enchantée d'apprendre que la fille de Poppet s'était assuré un si bel avenir et que son futur époux était l'unique héritier des manufactures écossaises du vieux Mr Mac Harris.

Elle poursuivait :

...*Vous traversez actuellement une période idyllique dans la vie d'une jeune fille... et naturellement, vous ne pensez qu'à votre trousseau.* (Comment aurait-elle pu deviner que je n'avais pas encore réfléchi à ce grave sujet?)

Puisque vous êtes ma filleule, j'ai décidé de vous offrir en cadeau de mariage ce que je comptais vous laisser dans mon testament.

Mon père s'était toujours moqué de mes « espérances », assurant que l'héritage de ma riche marraine nous permettrait, pour le moins, de nous retirer tous dans un manoir à la campagne!

Je vous octroie donc vingt livres que vous dépense-
rez à vous acheter des vêtements dignes de votre
nouvelle existence.

– Quelle vieille avare! commenta Daisy quand je
lui annonçai la nouvelle. Les gens riches sont tous
les mêmes.

Comme les jeunes filles ne savent absolument pas
dépenser l'argent à bon escient, poursuivait-elle, je
tiens à vous guider dans vos emplettes. Je serai ravie
de passer une journée complète avec vous mercredi
prochain. Vous arriverez par le train de 8 h 15 et nous
ferons le tour des boutiques.

Votre affectionnée marraine,
Godetia Montague.

Son invitation ressemblait à une convocation
royale, mais j'étais heureuse de cette distraction
imprévue. Passer une journée à Londres serait un
dérivatif bien agréable à mes soucis.

Sans doute ne reverrais-je jamais mon bel officier... Et c'était certainement mieux ainsi. J'étais
lasse des histoires d'amour. Courir les magasins
pour choisir mon trousseau, voilà au moins un
plaisir dont je ne me laisserais pas priver!

Ah, si j'avais pu prévoir comment allait se dérouler cette belle journée!

Je devais retrouver ma marraine à la gare de
Liverpool Street, car elle estimait qu'une jeune fille
convenable ne pouvait pas circuler seule dans Londres.

Tante Montague avait l'allure caractéristique des
douairières d'antan. Comment un spécimen de cette
race disparue pouvait-il encore exister en cet été
1916 où plus personne n'était choqué de voir des
jeunes filles « convenables », en uniforme kaki, sil-
lonner la ville au volant des voitures de l'armée?

Hélas, tante Montague, avec son bonnet archaï-
que et son mantelet de satin recouvrant ses larges

épaules, n'était pas un fantôme! Elle me salua d'un sonore :

– Ah, vous voici, Joséphine! Contente de vous voir, ma fille. Mais votre jupe est bien courte! Une jeune fille de votre âge...

Ma jupe avait été empruntée à la garde-robe de ma mère, tout comme les ravissantes bottines que je portais pour l'occasion et dont ma marraine critiqua la fragilité.

– Nous allons avoir beaucoup à marcher, car j'ai l'intention de vous emmener dans les boutiques où j'ai acheté autrefois mon propre trousseau.

L'influence de Molly m'avait donné le goût de la variété en matière de vêtements. Elle m'avait appris qu'il était préférable de posséder des tenues bon marché mais nombreuses pour avoir le plaisir d'en changer fréquemment.

Maman elle-même m'avait confié que le secret d'un mariage réussi résidait dans le changement.

– Les hommes ne supportent pas la monotonie, répétait-elle souvent.

Tante Montague, naturellement, ne partageait pas leur point de vue. Pour elle, le trousseau devait se composer d'articles solides et pratiques, susceptibles de durer toute une vie...

– Nous n'avons que faire de ces méchantes lingeries françaises, affirma-t-elle. Croyez-moi, Joséphine, vous serez infiniment plus satisfaite de pièces faites sur mesure dans un tissu d'excellente qualité.

» Nous allons acheter cinquante mètres de toile de lin, la plus épaisse. Ah, je m'y connais! Tenez : ce jupon brodé (elle souleva d'un demi-centimètre les plis de sa jupe) faisait partie de mon trousseau! Je l'ai porté pendant mon voyage de noces! Le croiriez-vous?

Je le croyais sans peine! Ce tissu-là avait l'air d'être assez solide pour servir à la fabrication d'une tente militaire!

– Je confierai l'étoffe à une admirable petite couturière de ma connaissance, une femme extrêmement méritante, décréta tante Montague. Elle vous confectionnera d'excellents modèles d'après des patrons que j'ai conçus moi-même.

Les patrons de tante Montague! J'imaginais aisément les cols sévères boutonnés jusqu'au menton et les manches longues sans fantaisie, bien fermées au poignet.

– Nous allons également vous acheter de bonnes vestes épaisses pour l'hiver, annonça enfin ma marraine.

Je cessai de penser à Molly, à maman et à ma conception personnelle du trousseau. J'abandonnai la partie et, toute la journée, je la laissai choisir les articles inusables mais importables qui le composeraient.

Après le thé, elle chargea sa femme de chambre, une austère vieille demoiselle, de me reconduire à la gare en lui recommandant expressément de ne me laisser qu'après m'avoir installée dans un compartiment pour femmes seules.

Mais nous n'eûmes pas le temps de respecter ses volontés. Quand nous arrivâmes, le train se mettait en branle et je dus sauter, tout essoufflée, dans le premier wagon qui se présentait. Aussitôt le chef de gare referma la porte sur moi et je m'effondrai sur un siège.

Je découvris alors le passager assis en face de moi : une lueur amusée s'alluma dans les yeux bruns à reflets gris-vert de... l'officier du pont!

J'étais perplexe. Devais-je feindre de ne pas le reconnaître et faire comme s'il n'existait pas durant tout le voyage? La situation risquait d'être gênante...

La meilleure solution me parut de me montrer distante mais courtoise, de lui dire poliment bonjour puis de m'absorber dans la lecture de mon magazine jusqu'à Riverside.

Mon « bonjour », cependant, me sembla déjà porteur de plus de sympathie que je n'aurais voulu en manifester.

Le visage de l'ingénieur, qui était resté lui aussi dans l'expectative, s'éclaira de façon surprenante.

– Bonjour, miss Jo, dit-il.

Et il engagea la conversation comme si notre querelle n'avait jamais eu lieu.

– J'ai été convoqué au ministère de la Guerre. Et vous, que faisiez-vous à Londres?

Je répondis que j'avais fait des emplettes avec ma tante.

– La chasse au trousseau, c'est ça? fit l'ingénieur, perspicace, avec un petit sourire ironique.

Je poussai un profond soupir.

– Eh oui...

– Votre voix manque singulièrement d'enthousiasme, fit remarquer Mr Rowlands d'un ton taquin. Je croyais que l'achat du trousseau était une des occupations favorites des futures jeunes mariées!

– Oh, c'est souvent le cas, admis-je en posant mon magazine, sauf quand la généreuse donatrice insiste pour acheter la toile la plus grossière sous prétexte que c'est inusable et que le trousseau doit durer toute une vie!

– Quel dommage en effet! fit-il avec commisération. Mais rassurez-vous, quelqu'un se chargera sûrement de vous doter en jolies choses. Allons, souriez, petite fille.

Il avait parlé avec tant de gentillesse que je ne fus même pas vexée de m'entendre appeler « petite fille ».

Brusquement il se pencha vers moi et prononça une phrase d'une importance capitale.

– Alors, on fait la paix?

– Bien sûr, répondis-je en souriant.

– Tope là!

Et il me tendit une main large et rassurante.

Ce simple geste produisit sur moi un effet extraordinaire : tout mon abattement, toute ma nervosité parurent se dissoudre. Je me sentis soudain d'excellente humeur, libre et insouciante comme avant mes fiançailles...

Mr Rowlands continua à bavarder, plus chaleureusement encore, me sembla-t-il, qu'avant notre altercation.

– J'espère que vous ne m'en voulez pas de vous avoir déçue une seconde fois, dit-il. Mais, à propos de... l'autre jour, miss Jo, à quoi bon se quereller ? Jamais cette jeune miss Smith et moi n'aurions pu nous entendre !

– Oh, je vous en prie, expliquez-moi ! May me semblait pourtant correspondre à votre idéal féminin. Ne rêvez-vous pas d'épouser une fée du logis ?

– Une fée du logis, pas une femme de ménage ! corrigea-t-il en hochant gravement la tête. J'aurais eu l'impression de faire la cour à une armoire à linge !

Après un silence il ajouta une phrase qui me surprit :

– Croyez-moi, quand une fille est aussi méticuleuse, aussi tatillonne, ce n'est jamais un homme qu'elle épouse...

– Ah çà, que voulez-vous dire, Mr Rowlands ?

– Les demoiselles de cette sorte ne se marient jamais par amour : elles épousent une belle demeure, une carte de visite...

Passionné par le sujet, il se mit à faire de grands gestes.

– Elles épousent leur grand ménage de printemps, le tapis rouge dans l'escalier, le service à thé du dimanche et le jour de l'argenterie. Bref, tout, sauf un homme. Je n'aurais pas pu supporter un tel état d'esprit.

Ce petit discours me mettait extrêmement mal à l'aise. Car, bien entendu, moi non plus je ne me mariais pas par amour : j'épousais *Les Tourelles*, un refuge éventuel pour ma mère, un endroit où l'on pourrait donner des réceptions pour Daisy... J'épousais l'approbation des gens bien, de tante Montague...

— Et vous ? Vous non plus vous n'allez pas vous marier par amour, rétorquai-je, piquée au vif. Vous voulez vous marier pour vous donner bonne conscience en faisant plaisir à votre mère.

Je faillis ajouter « avec l'espoir de lui offrir le petit-fils dont elle rêve depuis si longtemps... », mais je préférai m'abstenir et je conclus simplement :

— Oh, il n'y a pas de quoi rire !

— Oh, si ! Je vous assure ! Enfin... il y a sûrement du vrai dans vos propos. Pourtant, miss Jo, je voudrais tant que vous poursuiviez vos efforts... pour me trouver une femme, je veux dire. Oh, dites-moi que vous allez essayer encore une fois !

— Comment ! m'exclamai-je, stupéfaite. Après deux échecs aussi patents ?

— La troisième fois est toujours la bonne. Je vous en prie !

Son ton était si pressant que je ne pouvais décemment pas lui opposer un refus.

Pendant le reste du trajet, je fus quasiment muette : je réfléchissais.

L'ingénieur n'appréciait ni les beautés volages comme Molly, ni les femmes d'intérieur comme May...

Je songeai alors à la première candidate que j'avais envisagée : ma sœur Daisy !

Si seulement il n'y avait pas eu ce maudit concours de conservatoire ! Cet examen coupait mon aînée du reste du monde.

J'en étais à souhaiter qu'on n'ait jamais inventé les examens lorsque nous arrivâmes au terme de notre voyage. Je remontai l'allée du jardin avec l'ingénieur, au clair de lune...

Eh oui, je l'avais invité à partager mon souper froid!

Le petit Harry nous accueillit en pyjama sur le perron. Sa petite frimousse exprimait tout à la fois le ravissement, le mystère et l'horreur. Cecil, également en pyjama, trottinait allégrement à sa suite.

– Quelque chose de terrible est arrivé, Jo! claironna la voix aiguë de Harry.

J'eus l'impression que mon cœur s'arrêtait de battre. Je pensai immédiatement à mon père qui avait été envoyé en première ligne au front. Je pensai ensuite à maman...

J'eus la sensation de m'agripper à quelque chose d'infiniment rassurant sans avoir précisément conscience que c'était au bras de l'officier.

– Quoi? A qui est-ce arrivé? m'entendis-je demander d'une voix rauque. Qui est blessé, les enfants?

– C'est Daisy! crièrent-ils en chœur.

Daisy, notre adorable, notre ravissante Daisy, l'artiste de la famille! Celle dont je venais d'organiser si brillamment l'avenir!

– Mon Dieu! Où est-elle?

– Dans le salon, Jo.

Je lâchai le bras de l'ingénieur et me précipitai à l'intérieur.

Je trouvai la pauvre Daisy assise sur le divan, pâle et défaite, certes, mais encore en vie. Notre dévouée Elisabeth lui bandait la main.

– Que s'est-il passé? Que s'est-il passé? m'écriai-je d'une voix déformée par l'anxiété? Qu'est-il arrivé, Daisy?

– Je me suis coupé le doigt. Le pouce, annonça ma sœur d'un ton tragique.

Je me laissai tomber dans le premier fauteuil

venu et faillis pleurer de soulagement : quelle peur j'avais eue!

– Une coupure au doigt! L'état d'excitation des petits m'avait fait craindre le pire, crus-je bon d'expliquer tandis que Mr Rowlands entrait dans la pièce. Ce n'est que ça!

– *Que ça!* rétorqua amèrement Daisy.

Ses yeux s'emplirent de larmes.

– Tu ne comprends pas ce que cela signifie? C'est la fin de tout, Jo! Je me suis coupé l'index et tout le bout du pouce en défaisant un paquet de partitions. J'en ai au moins pour une semaine avant de me remettre au piano : je vais échouer à mon concours, Jo!

– Mon Dieu! Voilà une terrible nouvelle, dit alors l'ingénieur avec un accent de profonde commisération.

– J'aurais préféré perdre tous mes cheveux, se lamenta Daisy.

Je tentai de la consoler de mon mieux et de me montrer compatissante, mais dans un sens... Savez-vous? Au fond de moi-même, je ne pouvais m'empêcher de me réjouir : cet accident venait à point pour servir mes desseins de marieuse.

Je n'étais pas cruelle, non, simplement opportuniste!

Pendant tout le dîner – que Mr Rowlands sembla apprécier –, je me félicitai secrètement de cet incident qui allait obliger ma sœur à s'intéresser à autre chose qu'à l'amélioration de sa technique musicale. Elle devait renoncer à se présenter au concours : parfait! Elle serait disponible pour des activités plus positives!

Je dois admettre que l'officier se montra à la hauteur des circonstances. Il écouta les lamentations de Daisy avec componction et, quand enfin elle parut oublier un peu ses malheurs, il entama avec elle une discussion littéraire.

L'ingénieur fit un éloge dithyrambique d'un roman qu'elle n'avait pas lu et qu'il offrit de lui apporter le lendemain.

Daisy accepta avec un petit sourire pathétique.

– Oh, merci, je vais avoir tout le temps de lire, désormais!

Comme je le reconduisais à la porte, Mr Rowlands me confia gravement :

– Il faut essayer de redonner courage à votre sœur. C'est une grosse déception pour elle.

L'intérêt évident qu'il portait à la pauvre main bandée, au concours manqué et aux regrets de Daisy accrut considérablement mon espoir de le voir bientôt marié.

S'il ne devait jamais être davantage contrarié par les obsessions musicales de ma sœur, elle était sûrement la femme de sa vie.

Le lendemain, à l'heure où Mr Rowlands devait venir apporter le roman promis à Daisy, j'étais à la fête du jardin d'enfants en train de boire du lait et de grignoter des gâteaux secs en compagnie des crapauds et de leurs camarades.

Je me demandais sans cesse si tout se passait bien à la maison. En bonne marieuse, je faillis m'y précipiter plusieurs fois pour en avoir le cœur net mais je parvins à maîtriser mon impatience.

Au moment de franchir la porte, j'eus un accès de pessimisme : « Peut-être Mr Rowlands n'est-il pas resté, me dis-je. Peut-être n'a-t-il pas vu Daisy... »

Mais au même instant nous le vîmes sortir et son expression me rassura immédiatement : il semblait détendu, épanoui, ravi! Nous nous serrâmes cérémonieusement la main et il me gronda gentiment de n'être pas rentrée plus tôt, comme si j'avais voulu l'éviter.

– J'espère que Daisy a su vous distraire? demandai-je avec une insouciance feinte.

– Mais certainement, répondit-il. Nous avons eu une grande conversation, miss Daisy et moi.

Et, avant de partir, il me glissa à l'oreille :

– Je crois que nous allons très bien nous entendre...

Voilà qui était encourageant, non ?

Je trouvai Daisy dans le salon, adossée au coussin vieux rose de ma mère : elle était ravissante.

Un coussin du divan avait été négligemment jeté à terre, preuve irréfutable qu'un homme s'était assis aux pieds de ma sœur.

Daisy me sourit comme si son pouce blessé et le concours de musique appartenaient à un lointain passé.

– Ton ami l'ingénieur vient juste de partir, Jo.

– Je sais, je l'ai croisé en arrivant. Mais je ne vois pas pourquoi ce serait particulièrement « mon » ami ! C'est aussi le tien, non ?

– Oh oui, répondit Daisy avec une satisfaction évidente. Je crois qu'il m'aime bien.

– J'en suis sûre, affirmai-je avec conviction. Et j'en suis très heureuse !

Tout se déroulait à merveille jusqu'à présent ! Depuis deux jours, nous avions eu le jeune officier pratiquement à demeure.

Aujourd'hui, à 5 heures, il était revenu pour le thé, avec une maquette de sous-marin qu'il avait promise à Harry : elle survécut dix secondes aux manipulations de mon petit cousin !

– Je voudrais bien la réparer, miss Jo, dit Mr Rowlands, mais je n'ai pas le temps maintenant : je dois aller au chantier. Je peux repasser dans la soirée pour recoller les morceaux... si ça ne vous dérange pas, naturellement !

– Oh, mais je vous en prie, fit Daisy avec enthousiasme. Dans ces conditions, pourquoi ne resteriez-vous pas dîner? Je suis sûre qu'il y a assez à manger pour tout le monde, n'est-ce pas, Jo?

– Sans aucun doute! assurai-je, sachant pertinemment que le garde-manger était vide.

Les petits se couchent après le thé et ma sœur et moi avions inscrit à notre menu sardines et éclairs au chocolat, un repas parfaitement adapté à nos appétits mais que l'on ne peut décemment pas servir à un homme.

Je fus donc obligée de courir chez le boucher à l'autre bout du village pour acheter des côtelettes et je passai le reste de l'après-midi – car, bien entendu, c'était le jour de sortie d'Elisabeth! – à faire un gâteau roulé à la confiture.

Mais j'étais prête à tout pour favoriser la conclusion heureuse de cette idylle encore à peine ébauchée...

J'étais d'autant plus confiante que le jeune ingénieur s'inquiétait toujours avec sympathie, avec tendresse même, du pauvre pouce coupé. J'étais quasiment sûre qu'il allait s'en servir comme prétexte pour prendre la main de Daisy!

Quand il était avec ma sœur, j'essayais de me montrer discrète, de les laisser seuls dans le salon le plus souvent possible.

Avouez que, pour un chaperon, je n'étais guère encombrante! Je ne demandais qu'une chose : qu'ils se fiancent dans les plus brefs délais! J'étais impatiente d'annoncer à la mère de Mr Rowlands que j'avais bel et bien tenu ma promesse.

Il fallait que son fils soit fiancé avant l'achèvement du pont, que diable! Mais si les choses continuaient ainsi, je pouvais même espérer prendre le pont de vitesse!

Après le dîner, j'allai faire du café à la cuisine, mais je portai le plateau au salon pour ne pas avoir l'air de laisser systématiquement seuls les deux tourtereaux. C'eût été un manque de tact aussi impardonnable que de les suivre pas à pas : il faut de la mesure en toutes choses.

Et voilà qu'en entrant avec mon plateau je surprends mes deux protégés formant un tableau... Mais laissez-moi vous décrire la scène.

La jeune fille est gracieusement adossée aux coussins du divan; le jeune homme, à ses pieds, assis sur le pouf de satin noir, lève vers son visage des yeux émerveillés. Une atmosphère de badinage amoureux emplit la pièce.

De toute évidence Mr Rowlands venait de lâcher la pauvre main blessée de ma sœur Daisy. J'arrivai juste pour entendre ce qu'il lui chuchotait d'un ton enflammé.

Il parlait de cette même voix de passion contenue avec laquelle il m'avait dit lors de notre première rencontre : « Pour vous, je suis prêt à décrocher la lune... »

Mais, alors qu'avec moi il plaisantait, aujourd'hui, c'était le plus sincèrement du monde qu'il murmurait :

– Vous êtes un vrai petit roc, miss Daisy, c'est pour cela que je vous adore!

C'étaient ses propres paroles! Quelle satisfaction pour la marieuse d'obtenir en deux jours un aussi beau résultat!

Pendant un dixième de seconde, j'hésitai entre quatre solutions : repartir avec mon plateau, poser le plateau et sortir discrètement, entrer et les féliciter (c'était peut-être un peu prématuré!).

J'optai pour la dernière solution et je demandai à l'officier, d'une voix qui tremblait à peine, s'il voulait du lait dans son café ou s'il le buvait noir.

– Noir, miss Jo, merci, répondit-il tout naturellement.

Déjà il se levait d'un bond pour me débarrasser du plateau.

– J'ai une grande nouvelle à vous annoncer : votre sœur m'a autorisé...

Seigneur, il allait m'annoncer leurs fiançailles! Déjà! Je sentis mes jambes se dérober sous moi...

– ... à l'appeler par son prénom! conclut-il avec un grand sourire.

– Oh! m'exclamai-je, déçue.

Il me demanda alors si je connaissais son prénom et j'eus le plaisir de l'appeler « Dick » tout le reste de la soirée.

Après son départ, Daisy vint dans ma chambre et me confia les projets qu'ils avaient faits ensemble.

– Dick a l'intention de se libérer samedi après-midi, me dit-elle. Nous avons décidé de faire une promenade en barque sur la rivière et de nous arrêter pour pique-niquer sur la rive.

– Quelle bonne idée! reconnus-je. Je vous préparerai le meilleur des goûters!

– Tu *nous* prépareras? fit Daisy en bondissant comme un chat échaudé. Mais je n'y vais pas seule, Jo!

– Ah bon, dis-je, décontenancée. Vous emmenez des amis?

– Nous serons trois, répondit fermement ma sœur : lui, toi et moi!

– Moi? Pas question! Je refuse de participer à cette excursion.

– Dans ces conditions, je n'irai pas non plus! répliqua Daisy avec la même fermeté.

– Oh, si!

– Oh, non!

Vous imaginez aisément que ma présence risquait de gâcher une si belle occasion pour l'ingénieur!

Mon intuition me disait cependant qu'il valait mieux ne pas expliquer trop clairement la situation à Daisy. Je ne lui avais jamais parlé de nos arrangements et je devinais qu'il n'aurait pas été opportun de le faire maintenant.

Ce n'est qu'en piquant les fleurs d'oranger dans ses boucles brunes que je proclamerais avec fierté :

– Daisy, tu me dois ton bonheur!

Mais pour l'instant la question du pique-nique restait en suspens...

Je dus me rendre à l'évidence : Daisy ne reviendrait pas sur sa décision. Manquait-elle de confiance en son presque fiancé, ou craignait-elle de l'effrayer en lui donnant l'impression de vouloir précipiter les choses? Je me promis d'élucider ce mystère en son temps.

En attendant, il ne me restait plus qu'à accepter gracieusement ma défaite.

– Eh bien, soit, je viendrai. Mais, trois pour une sortie, ce n'est pas un bon chiffre. Je viendrai, à condition que Dick Rowlands me trouve un cavalier.

4

Il arriva enfin, ce fameux samedi, et...

Mais commençons par les délicieux prémices de la terrible catastrophe qui se produisit ce jour-là.

C'était une de ces rares journées qui font le charme des étés anglais. Le soleil brillait juste assez pour faire miroiter les eaux de la rivière et permettre aux pois de senteur et aux aubépines d'exhaler tout leur parfum. Une légère brise rafraîchissait l'air et faisait bruire les saules pleureurs de la petite île où nous avions abordé pour goûter.

Daisy était ravissante avec sa robe-tablier rose pâle, sa blouse blanche à volants et son panama. Je portais, quant à moi, une jupe et un chemisier de coton blanc et une grande capeline beige. Un seul bijou : ma bague de fiançailles.

Mr Rowlands s'était fait accompagner d'un jeune officier du nom de Smith. Il était charmant, très bien de sa personne, mais c'était le genre de garçon avec lequel on pouvait passer une journée entière sans pour autant le reconnaître si, quelque temps plus tard, on le rencontrait par hasard.

Il était aimable et gai, certes, mais... comment dire? Banal! Telle fut du moins mon impression. Il n'avait apparemment rien à dire de substantiel et s'exprimait avec une concision déconcertante : c'étaient des « ha, ha! », des « Oh, vraiment! » ou, tout au plus, des « elle est bien bonne! ».

Enfin, il savait ramer, mais n'avait pas le style de l'ingénieur dont je ne me lassais pas d'admirer les bras et les épaules tandis qu'il maniait les avirons.

« Oui, il est parfait pour notre Daisy », me répétais-je avec satisfaction.

Nous abordâmes sur une petite île et amarrâmes notre embarcation à un poteau providentiel surmonté d'un écriteau : « Propriété privée, défense de passer sous peine de poursuites. »

Mr Smith se montra remarquablement efficace : c'est lui qui surveilla la bouilloire pendant que Mr Rowlands sortait les coussins de la barque, que Daisy coupait les gâteaux et que je préparais le thé.

Tout semblait se dérouler pour le mieux... jusqu'à la fameuse catastrophe.

Je contemplais avec attendrissement Daisy et l'officier dont l'intrigue semblait de plus en plus prometteuse : la présence de deux intrus ne paraissait pas les gêner le moins du monde.

Assise sur les coussins rouges, je m'isolai dans

mes rêveries en regardant la rivière couler paresseusement.

La conversation prit un tour qui me convenait parfaitement : nous dissertâmes sur le thème du mariage et des rapports entre hommes et femmes.

Je me contentais surtout d'écouter les propos passionnés de mes compagnons. Bercée par la paix de l'heure et la beauté du paysage, j'en oubliais le lourd fardeau de mes propres fiançailles. J'en oubliais que Hilary Sykes devait rentrer le lundi suivant...

Comme toutes les jeunes filles, je comptais les heures qui me séparaient du retour de mon fiancé, mais ce n'était pas pour les mêmes raisons ! Machinalement je faisais tourner autour de mon doigt la bague dont les pierres évoquaient les initiales du mot tendresse et qui n'était pour moi qu'un gage de servitude...

Daisy faisait un exposé sur les différences entre les hommes et les femmes. Elle expliquait que les jeunes filles avaient une sensibilité particulière, une tout autre conception de la vie... Bref, à l'entendre, on aurait pu croire qu'il s'agissait de deux espèces antagonistes !

L'ingénieur, assis à ses pieds, acquiesçait négligemment à ses affirmations péremptoires.

— Ah, les hommes et les femmes sont parfois si différents dans leur façon d'être qu'on est en droit de se demander s'ils sont vraiment faits pour vivre sur la même planète...

Son regard alla se perdre parmi les roseaux et les nénuphars.

— Il me semble parfois qu'un gouffre infranchissable nous sépare...

— Voilà l'occasion rêvée pour vous de construire votre chef-d'œuvre, ô bâtisseur de ponts ! lançai-je en brandissant sévèrement dans sa direction une branche fleurie.

– Ce pont existe déjà, répondit doucement l'ingénieur. Lui seul peut nous permettre de franchir l'abîme...

– Oh, que voulez-vous dire? demanda Daisy.

– C'est l'amour, affirma-t-il avec simplicité.

– Ha, ha, ha! s'esclaffa alors ce sot de Mr Smith. Voilà notre cher Rowlands qui s'égare dans la sentimentalité!

L'officier lança un coussin dans sa direction et ils entreprirent de se battre avec une belle ardeur qui ne tomba qu'avec la théière que Mr Smith, emporté par l'action, envoya se briser sur le sol.

Que les hommes sont ennuyeux! Avec eux, les conversations sérieuses se terminent toujours en jeux puérils!

Il est bien évident que s'il avait été seul avec Daisy, Mr Rowlands aurait pu parler d'amour tout à loisir, mais, hélas, ma présence et celle de son ami l'obligeaient à traiter les deux sœurs de la même façon...

Quand ce fut l'heure de rentrer, je trouvai la soirée si belle que je regrettai amèrement qu'une bonne fée ne puisse nous faire disparaître, Mr Smith et moi, pour laisser ma sœur et son soupirant dériver paisiblement en tête à tête le long de la rivière.

Daisy semblait avoir complètement oublié les aléas du concours de musique : elle était gaie et se montrait même charmante avec Mr Smith, un exploit dont j'eusse été bien incapable...

Mais il faut maintenant que je vous raconte l'horrible catastrophe qui mit un terme à notre allégresse.

Nous approchions de la rive, non loin du pont en construction. Comme nous allions aborder, ma sœur s'exclama :

– Oh, les jolis myosotis! Là, à gauche, regardez! Tu peux m'en cueillir, Jo? Oh, je t'en prie!

Je me serais volontiers jetée à l'eau pour aller les lui chercher, car je la soupçonnais fort de vouloir les offrir à l'ingénieur en souvenir de ce bel après-midi. Je me penchai donc hors du bateau pour lui cueillir une grosse touffe de ces minuscules fleurs bleues.

Je ne m'explique toujours pas ce qui s'est passé exactement : au moment où je ramenais ma main gauche vers l'intérieur de la barque, nous entendîmes un léger choc contre la coque du bateau, nous entrevîmes un éclat d'or et de pierres précieuses, et hop! ma bague de fiançailles coula au fond de la rivière!

Etes-vous bien conscients de l'ampleur du désastre? Ma bague, la bague de Hilary Sykes, était au fond de la rivière...

Je n'avais jamais été aussi profondément affectée par la perte d'un objet. Non pas à cause de la beauté de la bague, ni même de sa valeur marchande. Ne parlons pas de sa valeur sentimentale – vous savez à quoi vous en tenir! –, mais je redoutais à juste titre la colère de mon fiancé. C'était un homme d'ordre qui ne m'avait pas caché qu'il jugeait toute négligence impardonnable!

Vous imaginez sans peine que la belle journée qui venait de s'écouler était irrémédiablement gâchée. Pourtant, Daisy se montra compatissante et tenta de me consoler en faisant rejaillir la faute sur Hilary qui n'avait pas choisi une bague à l'exacte mesure de mon doigt.

Ensuite, Mr Smith suggéra que nous nous en procurions une autre chez le bijoutier de Riverside.

– Comme si nous avions la moindre chance d'en

découvrir une semblable! rétorquai-je avec amertume.

– C'est bien le genre de Hilary d'acheter une
pièce unique! ajouta ma sœur.

– Une bague « tendresse », n'est-ce pas? demanda
à brûle-pourpoint l'ingénieur. Je l'avais remarqué.

Il hocha pensivement la tête.

– Vous avez peut-être le temps d'en faire faire
une copie, Jo, si vous y tenez. Mr Sykes ne rentre
que lundi, non?

– Oui... Mais.. Oh, cessez de dire des absurdités!
m'exclamai-je en essayant de rire. Vous ne croyez
tout de même pas que je vais essayer de le trom-
per : de toute façon, je devrai lui annoncer la
disparition de l'original.

– On pourrait peut-être draguer le fond de la
rivière avec des filets à papillons, suggéra alors Dick
Rowlands.

C'était la première remarque intelligente que
j'entendais et l'ingénieur se révéla fort efficace.

Lorsque nous eûmes regagné la terre, à proximité
de la maison du passeur, il proposa d'emprunter les
filets des enfants puis de remonter la rivière jusqu'à
l'endroit fatidique pour tenter le repêchage.

C'est le moment que choisit Daisy pour déclarer
qu'elle préférait rentrer à la maison pour soigner
son pauvre pouce brisé par tant d'émotions!

Je crus que l'ingénieur allait profiter de l'occasion
pour être enfin seul avec ma sœur en me laissant le
plaisir de pratiquer la pêche au trésor avec
Mr Smith. Mais, pour la première fois de la journée
mes manœuvres de marieuse furent contrariées par
les événements : ce fut Mr Smith qui raccompagna
Daisy et Dick Rowlands qui insista pour me faire
remonter le courant jusqu'à la touffe de myosotis.

Enfoncés dans la boue jusqu'aux cuisses, nous
draguâmes avec les filets de mousseline verte.

– Si nous étions des personnages de conte, savez-vous ce qui arriverait? demanda ce grand gamin d'officier qui semblait follement s'amuser de l'aventure.

Il me sourit avant de poursuivre :

– Un poisson aurait avalé votre bague, je le pêcherais et ma gouvernante me le servirait pour le dîner. Je découvrirais la bague sur mon assiette, je vous la rapporterais et nous... je veux dire Mr Sykes et vous vous marieriez et auriez beaucoup d'enfants...

– Hum... oui, mais nous ne vivons pas dans un conte de fées, dis-je en secouant mes mains pleines de vase, et je crains que la bague ne soit définitivement perdue. Jamais mon fiancé ne me le pardonnera.

L'ingénieur me demanda alors quand il aurait l'honneur de rencontrer l'heureux Mr Sykes.

– Lundi soir, si vous le désirez. Il doit rentrer dans l'après-midi, fis-je avec un grand soupir. Je suppose qu'il passera à la maison.

– Oh, vraiment, vous « supposez »? plaisanta l'officier avec un rire ambigu. Eh bien, je suppose, moi, qu'il ne tiendra pas à trouver d'autres visiteurs chez vous ce soir-là!

– Pourquoi donc? demandai-je sans réfléchir.

Je fus alors assaillie par la vision terrifiante de ce qui m'attendait ce soir-là : le baiser de Hilary!

Pour conjurer mon angoisse, je redoublai d'ardeur dans l'accomplissement de ma tâche.

Inutile de préciser que nous ne repêchâmes point la précieuse bague.

Je devais me faire une raison et me préparer au pire.

– J'abandonne, annonçai-je, résignée.

Après avoir rincé nos filets et nos mains dans l'eau claire, nous redescendîmes la rivière, l'ingénieur penché sur les avirons. Ses bras étaient si lisses qu'on voyait les muscles frémir sous la peau brune. Je comprenais pourquoi il avait proposé à Daisy une promenade en bateau...

Comme cette pensée me traversait l'esprit, nos regards se croisèrent.

– A quoi rêvez-vous, petite Jo?

Après une brève hésitation, je répondis :

– Je suis si contente pour ma sœur. Elle a dû passer un merveilleux après-midi.

– J'admire votre altruisme. D'autres, à votre place, n'en retiendraient que la mésaventure finale. Ce fut donc une belle journée, Jo?

– Merveilleuse, répondis-je d'un ton lugubre.

– Il est si important pour moi que vous ayez pris plaisir à cette sortie, Jo, dit doucement l'officier.

– Oui, et Daisy s'est tellement amusée! C'est l'essentiel.

– Ah, oui, Daisy... bien sûr, répliqua vivement Mr Rowlands.

– Vous savez, elle vous aime beaucoup, j'en suis sûre, assurai-je avec conviction. Je sais qu'elle a beaucoup parlé avec ce Mr Smith, mais, croyez-moi, cela ne veut rien dire! Enfin... mais... les choses semblent en bonne voie!

Assis en face de moi dans la barque, l'ingénieur me regarda curieusement. Je crus même distinguer entre ses longs cils noirs une lueur amusée. Mais c'est d'une voix parfaitement neutre qu'il me demanda :

– Vraiment? Vous pensez que cette fois il y a de l'espoir, Jo?

– Tous les espoirs vous sont permis, confirmai-je en souriant.

Et ainsi, tout naturellement, nous parlâmes de ma sœur dont je louai l'intelligence, la beauté et les dons artistiques. Nous conclûmes que c'était une jeune fille adorable et qu'il serait bien triste qu'elle s'obstine à penser qu'elle devait sacrifier sa vie de femme à sa carrière.

Enfin nous atteignîmes la barrière du jardin.

– Vous savez, Dick, vous êtes le plus formidable des...

– C'est gentil à vous de dire ça!

– Des futurs beaux-frères, terminai-je.

Alors l'ingénieur, me prenant la main, s'exclama :

– Vous êtes unique, petite Jo!

Je suppose qu'il allait ajouter « en tant que belle-sœur », mais il ne put jamais terminer sa phrase : sur le perron, une silhouette sombre se détachait dans le soleil couchant. Une voix lourde de reproches appela :

– Joséphine!

C'est ainsi que je me retrouvai en face de mon fiancé que je n'attendais pas avant deux longues journées.

– Mr Sykes... euh... je veux dire Hilary! balbutiai-je avec stupéfaction. Vous êtes rentré?

J'admets que ma question n'était pas particulièrement judicieuse : il se tenait là, devant moi, vêtu d'une veste de sport grise et coiffé d'un chapeau à la Van Dyke artistiquement penché sur le côté. Les derniers rayons du soleil faisaient étinceler ses verres de lunettes à travers lesquels il me scrutait sans bienveillance.

– Eh oui, je suis rentré, constata-t-il simplement.

– Je ne vous attendais pas aujourd'hui.

– Cela me semble évident, rétorqua mon fiancé avec aigreur.

Je crus d'abord qu'il sortait de la maison et qu'il était déjà au courant de la disparition de la bague, ce qui justifiait son courroux. Mais je ne tardai pas à comprendre que sa colère n'avait pour objet que la présence à mes côtés du grand jeune homme en kaki.

Je réussis malgré ma confusion à faire les présentations et les deux hommes se saluèrent avec raideur sans échanger la moindre parole de courtoisie.

Mr Rowlands, se sentant sans doute de trop dans ces retrouvailles entre amoureux, m'adressa son plus beau sourire :

– Eh bien, je vous laisse. Bonsoir, Jo.

Hilary, les sourcils froncés, se tourna vers moi.

– Puis-je entrer un moment, je vous prie ?

– Mais bien sûr, bien sûr ! répondis-je un peu trop rapidement.

Un grand frisson intérieur me parcourut à la pensée de l'entretien qui m'attendait.

Nous nous dirigeâmes vers le salon...

Mais le salon était occupé ! Notre canapé semblait être devenu la place favorite des jeunes officiers affectés à Riverside.

– Mr Smith vient de me proposer d'aller chercher son banjo chez lui et de revenir nous jouer de la musique, s'écria Daisy sans s'émouvoir le moins du monde de la présence de Hilary.

Mon fiancé lui adressa un petit salut sec et déclara qu'il serait ravi de descendre au jardin avec moi.

Nous sortîmes donc. Le soleil était couché et l'air embaumait le chèvrefeuille.

Malgré cette atmosphère romantique, je n'avais guère de chances d'échapper à une scène pénible. Sa colère contenue n'avait fait que croître depuis notre rencontre à la barrière du jardin, et je la sentais près d'éclater.

Comment allais-je lui avouer la perte de la bague ?

À contrecœur je le suivis dans l'allée au fond du jardin.

Là, il se tourna vers moi.

– À présent, Joséphine, commença-t-il sèchement, aurez-vous la bonté de m'expliquer...

– Ça y est! On les tient! A l'assaut! claironna une voix aiguë derrière la haie.

Nous découvrîmes alors les deux êtres les plus extraordinaires qu'on puisse imaginer : un croisement de lutins et de plongeurs sous-marins.

Ils se mirent à danser autour de nous en brandissant des ceintres auxquels étaient fixés des bâtons peints en noir.

– Oh, vous deux! m'écriai-je, hystérique, arrachant l'instrument meurtrier aux petites mains qui s'y cramponnaient. A quoi jouez-vous? Où avez-vous trouvé ces...

– C'est les baïonnettes que Mr Rowlands nous a fabriquées, expliqua Cecil, et vous êtes tombés dans un guet-apens. Vous êtes nos prisonniers!

– Pourquoi ces enfants ne sont-ils pas couchés? demanda Hilary d'une voix qui exprimait la plus intense irritation. Dites-leur de rentrer immédiatement, Joséphine, je vous prie.

Je leur intimai l'ordre de rentrer, avec ma voix-qui-ne-plaisante-pas. Ils obéirent mais, en partant, ils crièrent qu'ils avaient été blessés et qu'ils voulaient que Mr Rowlands viennent les voir à l'hôpital dès qu'ils seraient couchés.

– Quel chaos! constata sobrement Hilary en promenant son regard autour du jardin que les O.V.2 avaient passablement saccagé. Ces garçons ont besoin d'être soumis à une stricte discipline : il faut les envoyer en pension!

– Mais, Hilary, ils sont bien trop jeunes! protestai-je, la gorge nouée.

– Il leur faut en tout cas une gouvernante à domicile, une femme d'un certain âge qui saura les tenir pendant l'absence de votre mère. J'y ai réfléchi en Ecosse et j'ai formé le projet...

Horreur! Un projet! Qu'allait-il encore inventer?

– Mais nous y reviendrons en temps utile, dit-il

brusquement. Je désire d'abord vous entretenir d'autre chose. Arrêtons-nous un moment.

Nous nous assîmes sur le banc rustique installé par papa sous la tonnelle. C'est un endroit charmant que maman a baptisé « le coin des amoureux »!

Il commença sans aménité :

— Joséphine, je crois que vous me devez des explications, au sujet de ce jeune homme.

— Lequel? demandai-je.

Je ne savais pas s'il parlait de celui qu'il avait croisé à la barrière du jardin ou de celui qu'il avait vu au salon.

La voix de Hilary se fit plus menaçante.

— Celui avec qui vous bavardiez lorsque je vous ai trouvée... euh... cette personne du pont... Ce Rowlands avec qui les enfants semblent sur un pied de quasi-intimité. Qui est-ce?

Je m'entendis répondre de la voix tremblante d'une enfant qui se fait réprimander :

— C'est l'officier responsable de la construction du pont.

— Cela ne m'apprend rien sur vos relations. Depuis quand le connaissez-vous, Joséphine?

— Il nous a rendu visite pour la première fois le jour de votre départ pour l'Ecosse.

— Ah, vraiment! Pour la première fois! Vous ne l'aviez donc jamais vu avant?

— Si, une fois, répondis-je, le matin de nos fiançailles.

— Ah, vraiment! Et combien de fois l'avez-vous revu?

— Je n'en ai pas fait le compte, dis-je, interloquée. Assez souvent, je suppose.

— Je n'en doute pas! Je voudrais bien connaître les intentions de ce jeune freluquet!

Cette fois, je réagis vivement.

— Je vous prie de ne pas parler de lui sur ce ton!

répliquai-je avec colère. Mr Rowlands est un de nos amis!

– Je l'avais remarqué, rétorqua mon fiancé d'un ton glacial.

– Et c'est un jeune homme extrêmement sympathique.

– Sympathique, sympathique, répéta-t-il en écho. Vous êtes bien trop jeune pour juger du caractère d'un homme! C'est votre seule excuse.

– Je ne cherche pas d'excuse, Hilary! m'écriai-je avec indignation.

– Et puis-je vous demander comment vous avez fait la connaissance de ce jeune homme?

C'était un véritable interrogatoire : Mr Sykes avait exactement la voix d'un juge d'instruction.

– Eh bien, veuillez répondre!

Là, j'éprouvai une intense satisfaction.

– Mr Rowlands est venu chez nous à la demande de sa mère! dis-je avec emphase. Je crois vous en avoir parlé dans une de mes lettres. C'était une amie de pension de maman.

– Oh! fit Hilary, toujours soupçonneux. Quoi qu'il en soit, il convient de mettre un terme à ses visites.

J'ouvris de grands yeux.

– Et qui va y mettre un terme?

– Moi, bien évidemment, affirma mon fiancé, péremptoire.

– Mais, pourquoi? demandai-je, horrifiée.

– Ma chère Joséphine, quel homme tolérerait de bonne grâce que sa fiancée reçoive ainsi un jeune homme avec lequel elle semble en termes si... affectueux?

Je ne pus m'empêcher d'éclater de rire devant l'absurdité de ses propos.

– En termes affectueux! m'esclaffai-je. Alors là, croyez-moi, Hilary, vous vous trompez du tout au tout!

– Je me trompe? Vraiment? Me faut-il nier l'évidence? N'ai-je pas entendu cet impudent officier vous appeler par votre prénom? Que dis-je, votre surnom! Et, de votre côté, vous l'appelez aussi sans doute...

– Dick! Oui!

– Ah! Et j'apprends en arrivant ici que vous êtes sortie vous promener en barque en sa compagnie!

– Oui, admis-je, brusquement rappelée à la sinistre réalité.

Comment lui parler de la bague? Mais, imperturbable, Mr Sykes poursuivait :

– Et vous refusez d'admettre qu'il vous fait la cour? Quelle autre explication pouvez-vous me fournir, Joséphine?

– Mais ce n'est pas moi que Mr Rowlands vient voir!

– Je suppose que ce n'est pas pour le plaisir de jouer à la guerre avec deux gamins mal élevés, rétorqua Hilary d'un ton acide.

– Mr Rowlands aime beaucoup les petits, affirmai-je avec force pour défendre mes crapauds. Mais puisque vous tenez tant à le savoir, c'est Daisy qu'il vient voir.

Hilary ouvrit des yeux ronds derrière ses lunettes.

– Daisy? Daisy? répéta-t-il. Vous voulez dire que c'est le prétendant de votre sœur?

– Mais bien sûr!

– Qu'est-ce qui vous permet d'affirmer une chose pareille, Joséphine?

– Mais il me l'a dit... enfin, presque. D'ailleurs, c'est évident! fis-je avec impatience. Ce soir encore, il me demandait s'il pouvait espérer se marier avant de partir pour le front.

Mon fiancé semblait perplexe.

– Et puis-je vous demander si votre mère est au courant de ce projet?

– Parfaitement, répondis-je sur un ton de défi. Je lui ai écrit à ce sujet : tenez, voici sa réponse.

Je sortis de ma poche la lettre de maman, arrivée le matin même, et la lui tendis.

Je te remercie, Jo, ma grande fille, écrivait-elle, de m'avoir raconté la prometteuse idylle qui s'ébauche sous notre toit. J'en suis ravie, naturellement. Ce serait merveilleux, comme tu le dis toi-même, que notre sérieuse Daisy tombe amoureuse du fils de ma meilleure amie de pension...

– Vous voyez bien, Hilary, dis-je en reprenant la lettre.

Son visage s'éclaira en effet.

– Je vois... Il n'y a donc pas d'erreur possible...

– D'erreur? Qu'est-ce qui vous permet de penser qu'il pourrait y avoir une erreur?

Toute méfiance avait disparu de son visage. Il était radieux et me regardait avec adoration.

– N'est-ce pas naturel, très chère?

– Qu'est-ce qui est naturel? demandai-je, intriguée.

– Mais, n'est-il pas naturel que je sois étonné de voir un homme s'intéresser à votre sœur, une jeune fille égocentrique qui ne songe qu'à sa musique?

– Oh, plus maintenant! m'empressai-je de remarquer.

– Comment un homme peut-il préférer Daisy à mon adorable petite fiancée?...

Et voilà! Nous en arrivions au moment critique des épanchements amoureux. Je pris une longue inspiration et serrai courageusement les dents. « Après tout, pensai-je, je n'ai pas à me plaindre. J'ai bénéficié d'un long répit. Je ne peux à présent me dérober à l'ennemi! »

Hilary passa son bras autour de ma taille.

Et dire que toutes les jeunes filles rêvent de cet

instant sublime où un homme les enlacera! Moi, j'aurais préféré être enlacée par un boa constrictor!

Soudain, un cri retentit :

– Jo, Jo! Enfin, vous n'avez pas entendu le gong? Le dîner est servi.

Ma sœur apparut à l'angle de la tonnelle, ravissante dans sa tenue rose et blanche, suivie de près par l'uniforme kaki de Mr Smith qui avait visiblement l'intention de dîner avec nous.

C'était le premier repas que je prenais avec Hilary depuis l'annonce de nos fiançailles : je fus incapable d'avaler une seule bouchée. Heureusement, Mr Smith tint admirablement son rôle en mangeant pour deux.

Ensuite, il occupa le salon avec une belle constance, jusqu'à l'heure où les messieurs doivent se retirer. Hilary ne me proposa pas d'autre promenade dans le jardin, l'humidité du soir étant pernicieuse pour sa santé.

Nous restâmes donc au salon à écouter les solos de banjo que Mr Smith eut l'amabilité de nous jouer. Même moi, qui ne prétends pas avoir l'oreille musicale, je reconnus sans peine qu'il accumulait les fausses notes : vous imaginez quel supplice ce dut être pour Daisy!

Et pourtant, non seulement elle le supporta stoïquement, mais elle se crut même obligée de lui adresser de grands sourires d'encouragement!

En la circonstance, je bénis le manque de tact de cet invité imprévu qui s'incrusta obstinément jusqu'au départ de Hilary. Les choses n'auraient pas pu mieux se passer si Daisy lui avait expressément demandé de voler à mon secours.

Elle reconduisit elle-même le camarade de l'ingénieur du pont jusqu'au porche et, me tenant par le bras, elle lui fit de grands signes d'adieu sans remarquer que Hilary Sykes cherchait en vain à se ménager avec moi un entretien plus intime dans le vestibule.

Ce n'est qu'une fois rentrée à la maison que je me souvins de l'épée de Damoclès toujours suspendue sur ma tête.

– Oh, Daisy, il ne s'est pas aperçu que je ne portais pas la bague! Il faudra bien que je lui avoue tout demain...

Cette affreuse perspective m'obséda jusqu'au moment où je préparai les O.V.2 pour l'école, après le repas de midi.

Je savais en effet qu'il ne fallait pas rendre visite à mon fiancé le matin : il est de ces êtres incapables d'affronter les dures réalités de la vie avant le déjeuner.

Mon intuition me disait qu'il comptait sans doute me rendre visite au début de l'après-midi et je décidai de prendre les devants.

J'attrapai mon chapeau de paille et partis à la rencontre de Hilary. Je ne pris même pas la peine de me recoiffer : mon apparence extérieure n'avait aucune importance! Je sortis sans enthousiasme, avec l'impression que je marchais droit vers les lignes ennemies.

Je rencontrai l'ennemi à la grille de son jardin, sous la grande plaque gravée *Les Tourelles* : il était visiblement d'excellente humeur.

J'avais préparé mentalement plusieurs formules adéquates pour annoncer l'événement, mais je n'eus pas à m'en servir : comme je posais mes deux mains sur la grille pour les empêcher de trembler, Hilary désigna d'un geste théâtral mon annulaire gauche.

– Très chère, pourquoi ne portez-vous pas votre bague de fiançailles?

– Je ne le peux pas, fis-je abruptement. Je l'ai perdue.

– Perdue! répéta Hilary, incrédule. Perdue, votre bague de fiançailles? Un bijou que j'ai gardé précieusement pendant deux ans? Voyons, c'est impossible!

– C'est hélas! vrai.

Debout, devant la grille de mon futur foyer, j'affrontai courageusement son regard.

– Ce n'est pas impossible, Hilary : j'ai perdu votre bague.

– Soyez raisonnable, ma chère Joséphine, une bague de cette valeur, comment auriez-vous pu la perdre?

Il retira ses lunettes et essuya les verres à la manière d'un juge de cour d'assises. La situation devenait intolérable.

D'une voix tranchante il me soumit alors à une investigation en règle.

– Depuis quand l'avez-vous perdue? Avez-vous fouillé la chambre d'Elisabeth? Etes-vous sûre de Mrs Lock, la femme de ménage? Où l'avez-vous égarée?

– Je ne l'ai pas égarée, répondis-je dans un souffle.

J'étais si nerveuse que je tremblais des pieds à la tête.

– Hélas, je ne sais que trop bien où elle se trouve...

– Vous savez... Joséphine, où est cette bague?

– Au fond de la rivière, répondis-je misérablement, regrettant presque de ne pas y être moi-même.

– De la rivière? Comment diable est-elle arrivée là?

Je lui racontai du mieux que je pus les circonstances de la catastrophe.

– Vraiment, je ne comprends toujours pas comment une chose pareille a pu arriver! Reprenons depuis le début.

» Vous vous êtes penchée par-dessus bord? Idiot! Complètement idiot! D'ailleurs, quelle idée stupide de se promener en barque! Je ne me promène jamais en barque sur la rivière, moi!

— C'est Mr Rowlands qui en a eu l'idée, dis-je en me mordant la lèvre pour refouler les larmes qui me montaient aux yeux. Il voulait passer l'après-midi avec Daisy et je devais leur servir de chaperon.

Hilary eut un petit soupir méprisant.

— Quel remarquable chaperon! Se pencher par-dessus bord pour cueillir des fleurs! Comment pouvez-vous vous livrer à de tels enfantillages, Joséphine?

Je ne protestai pas et il poursuivit :

— Vous dites que la bague a glissé de votre doigt? Enfin, comment une chose pareille...

Là, j'avais une excuse toute prête.

— La bague était un peu trop grande pour moi, Hilary, dis-je d'une petite voix. Vous savez que j'ai de très petites mains.

Et pour en apporter la preuve, je tendis vers lui ma main si fine.

N'importe quel fiancé digne de ce nom aurait baisé cette main tendue et accordé son pardon immédiat. Mais Hilary Sykes n'est pas n'importe quel fiancé! Il me laissa dans cette position pitoyable et pianota nerveusement sur la grille des *Tourelles*.

— Vous auriez dû m'écrire que la bague était trop grande : il eût été facile de la porter chez le bijoutier pour la faire mettre à votre taille, Joséphine!

Comme une enfant prise en faute, je murmurai :

— Je... je n'y ai pas pensé.

— Pas pensé! Pas pensé! Cinquante pour cent des accidents sont provoqués par des étourderies de ce genre, miss Dale!

Je ne répondis pas, baissant obstinément la tête pour dissimuler mon visage sous les bords de ma capeline.

Hilary poursuivit sa diatribe :

– Par pure étourderie, vous avez perdu un bijou de grande valeur! Je croyais pourtant vous avoir expliqué que c'était une bague exceptionnelle, copie d'un bijou dessiné par la reine Anne en personne!

Je brûlais d'envie de lui crier qu'on aurait mieux fait d'enterrer la reine Anne avec sa maudite bague, mais on ne peut pas toujours dire ce qu'on pense...

Hélas, une réponse douce et polie a peut-être l'avantage d'apaiser le courroux de votre interlocuteur, mais ne fait qu'envenimer votre propre ressentiment.

– N'avez-vous pas essayé de la récupérer, continua Hilary. Evidemment, cela n'aurait servi à rien!

– Nous avons essayé, fis-je plus morte que vive. On a dragué le fond avec des filets à papillons.

– Avec des filets à papillons! s'étrangla Mr Sykes. Ah çà, qui a eu cette brillante idée?

– L'ingénieur du pont... Je veux dire Mr Rowlands.

– Oh, vraiment!

La voix d'Hilary se fit plus dure.

– C'était son idée, vraiment? Magnifique! Que ces ingénieurs sont donc stupides!

– Je suis profondément désolée, Hilary, protestai-je, d'un ton infiniment plus soumis que ne me le dictait mon cœur.

– C'est la moindre des choses, rétorqua-t-il, cassant. Que ceci vous serve de leçon, ma chère Joséphine, et vous aide à lutter contre votre fâcheuse tendance à l'étourderie. Je ne crains pas de vous avouer que cet incident me chagrine énormément. C'est une perte irréparable!

Il s'était remis à pianoter de plus belle sur la grille. A cet instant il m'exaspérait plus qu'il ne m'impressionnait.

– Votre irresponsabilité me peine, Joséphine. Je n'en dirai pas davantage pour ne pas laisser échapper sous le coup de la colère des paroles que je regretterais par la suite. Avec votre permission, je vais donc vous quitter. Au revoir, Joséphine.

Il tourna les talons et disparut dans l'allée bordée de delphiniums et de lupins.

Je le suivis un moment du regard, interloquée. Puis je poussai un soupir de soulagement et m'en allai de mon côté.

Sur le chemin du retour, je me rendis compte que je n'avais aucune envie de me retrouver à la maison pour subir la pitié de Daisy et affronter les questions des crapauds turcs.

Je traversai un vaste pré nouvellement fauché et m'arrêtai à l'ombre d'un bel aulne pour remettre un peu d'ordre dans mes pensées.

D'abord soulagée par le repli de Hilary, je sentais maintenant monter en moi une colère sourde. Il m'avait profondément blessée en me parlant si méchamment, à moi, la jeune fille qu'il souhaitait épouser!

S'il se comportait ainsi pendant la période de nos fiançailles, que serait-ce une fois que nous serions mariés? Si ma mère avait été le témoin de cette scène, elle aurait été la première à s'opposer à notre union.

Pourquoi devrais-je gâcher toute ma belle jeunesse à écouter Hilary me faire la morale? Mieux valait rompre tout de suite: je n'étais pas encore mariée à cet homme et je ne le serais jamais!

Cette décision prise, je courus allègrement vers la maison, plus heureuse et plus légère à chaque pas.

En pénétrant dans le vestibule, j'entendis la voix de Daisy.

– Jo, Jo, ma chérie!

Elle s'attendait sans doute à ce que je m'effondre

en larmes dans ses bras et ne cacha pas sa stupéfaction lorsque, radieuse, j'entrai dans le salon où
elle était en train de coudre, malgré son pouce
blessé.

– Oh, Jo, tu n'as pas l'air triste du tout! J'avais si
peur pour toi! Comment ça s'est passé avec Mr Sykes?

– Oh, on ne peut mieux! fis-je avec insouciance.

Et je m'envolai vers ma chambre pour y rédiger
la lettre de rupture qui devait me rendre ma
liberté.

Ma liberté! Quel délice! Je savais déjà ce que
j'allais écrire.

Cher Mr Sykes, commençai-je, délivrée de l'obligation de l'appeler par son ridicule prénom.

*Je tiens à vous exprimer de nouveau mes regrets
pour la perte de votre précieuse bague. Je suis cons-
ciente que vous jugez ma négligence impardonnable et
je ne puis m'empêcher de penser que cette bague était
pour moi un fardeau trop lourd à porter.*

*De toute évidence notre mariage ne pourrait être
qu'un échec. Je suis trop impulsive et trop nerveuse
pour vivre dans votre maison. Vous me gronderiez
sans cesse pour mes maladresses. Evitons donc de
commettre cette erreur.*

*J'espère de tout cœur que vous trouverez une
épouse vraiment digne de vous. Ne me prenez pas
pour une ingrate : sachez que j'ai apprécié à sa juste
valeur l'honneur que vous m'avez fait en me demandant en mariage.*

*Je forme des souhaits sincères pour votre bonheur
futur en osant espérer que mon attitude ne modifiera
pas la nature de vos relations avec Teddy qui vous
tient en si haute estime.*

> *Sincèrement vôtre.*
> *Joséphine Dale.*

Le cœur léger, je me précipitai dans le vestibule.

– Elisabeth! criai-je gaiement. Pouvez-vous porter cette lettre chez Mr Sykes?

J'avais quasiment hurlé d'allégresse. Il me semble encore entendre l'écho de cet ultime cri de joie...

Car c'est en ce merveilleux instant d'euphorie que la foudre s'abattit sur moi...

5

Lorsque Elisabeth apparut dans le vestibule, elle portait un petit plateau de cuivre sur lequel était posée l'une des enveloppes grises de notre mère, barrée de la mention « Service actif ».

Je gardai ma propre lettre en réserve pour prendre d'abord connaissance de ce que maman nous écrivait.

Je remarquai immédiatement que son écriture était moins soignée qu'à l'accoutumée. Quant au contenu de la lettre... le voici :

Ma chère Jo,

Je préfère vous écrire plutôt que de télégraphier pour éviter un trop grand choc à mes deux filles chéries. Votre père a été blessé au combat : « sérieusement blessé », selon la lettre officielle. Oh, Jo, « sérieusement » dans leur jargon, est-ce pire que « gravement »? Il a été évacué sur Boulogne et je pars immédiatement le rejoindre.

Hélas, ma chérie, si le pire se produit, je ne sais trop ce que je ferai... Enfin, il me reste une consolation, ma grande : celle de te savoir établie. Mr Sykes est le meilleur des hommes. Sans doute est-il d'un abord quelque peu rébarbatif, mais quel soulagement de savoir que je peux lui confier ma petite Jo, les yeux fermés!

Mille baisers à vous tous, ma grande chérie. Je t'écrirai bientôt.

Ta maman.

Je me laissai tomber sur une chaise et, d'une voix que je ne reconnus pas, je m'entendis appeler :

– Daisy! Lis! balbutiai-je en lui tendant la lettre.

Nous demeurâmes longtemps immobiles, moi assise, elle debout au milieu du vestibule.

Papa « sérieusement blessé »... c'était impossible! Rien de fatal ne pouvait arriver à notre Teddy...

Toutes les questions qui se pressaient dans mon esprit restaient sans réponse : Comment notre cher père avait-il été blessé? Comment notre mère allait-elle réagir?... Quel choc affreux pour elle!

Mais ce dont j'étais sûre, c'est que cette terrible nouvelle allait avoir sur mon avenir de graves implications : il me devenait difficile de rompre avec Hilary Sykes...

J'entendis quelqu'un éclater en sanglots.

– Oh, je t'en supplie, ne pleure pas, Daisy! Allons, petite sœur...

Alors, à ma grande honte, je pris conscience que les sanglots... sortaient de ma gorge!

Totalement effondrée, je pleurais sans retenue. D'énormes larmes roulaient sur mes joues, m'aveuglant complètement. Un voile noir s'abattit devant mes yeux... la tête me tournait...

– Reprends-toi, Jo chérie, s'écria Daisy. Mon Dieu, elle va se sentir mal! Ne bouge pas, je vais te chercher un verre d'eau.

Je sentis qu'on me glissait un gobelet glacé dans la main; je bus avidement l'eau fraîche, puis je me laissai aller contre l'épaule de ma sœur qui m'avait tendrement enlacée.

Je repris peu à peu conscience de la vie autour de moi; une main secourable me tendit un

mouchoir. Puis ma tête retomba contre l'épaule...
une épaule étrangement robuste...

Lentement je me redressai. Je me mouchai, m'es-
suyai les yeux, regardai autour de moi... pour découvrir que ce n'était pas Daisy qui m'avait si gentiment soutenue : ma sœur était toujours debout, la
lettre de maman à la main.

C'était l'ingénieur qui était maintenant agenouillé
à mes pieds, les deux mains posées sur mes épaules.

– Oh, Dick, excusez-moi, ma faiblesse est ridicule.
C'est la première fois que ça arrive, assurai-je.

Je respirai à fond.

– Mais, c'est... Oh, Dick, vous connaissez la nouvelle?

– Oui, je suis au courant, dit-il d'une voix calme et
apaisante. Ecoutez-moi : ne dramatisez pas inutile-
ment, ma petite Jo. Pensez aux centaines d'hommes
qui ont été « sérieusement blessés » depuis le début
de cette horrible guerre et qui à présent se portent
à merveille. Je parie que dès ce soir un télégramme
viendra vous rassurer. Gardez confiance, petite
fille.

Le contact de ses mains sur mes épaules était
infiniment rassurant. Je levai les yeux vers ma sœur
et, d'un doigt tremblant, je désignai l'ingénieur :

– N'est-ce pas qu'il est gentil, Daisy? m'entendis-
je murmurer. C'est... c'est le grand frère dont rêvent
toutes les jeunes filles.

– Chut, Jo, chut, petite fille, me souffla Dick au
creux de l'oreille. Allons, allons, ne parlez plus de
« grand frère »...

– Mais Dick, je vous considère pourtant
comme...

J'eus alors un réflexe étonnant : j'appuyai ma joue
humide contre la sienne, douce et bronzée, et y
déposai un léger baiser.

Eh oui, un baiser! C'était la première fois que

j'embrassais un homme, excepté papa, bien entendu. Ce n'était d'ailleurs qu'un tout petit baiser, juste sous l'oreille... Sans m'écarter, je lui murmurai :

– Merci pour tout, vous êtes si bon pour nous !

Mais Mr Rowlands ne parut pas apprécier cette marque d'affection, même venant d'une jeune fille qui voyait un frère en lui et deviendrait sans doute bientôt sa belle-sœur. J'ai le regret de le dire : mon geste lui déplut énormément.

Il recula sa belle tête brune comme si une guêpe l'avait piqué et se releva d'un bond.

– Cela suffit, Jo, dit-il en me tapotant l'épaule. Allons, calmez-vous. Je suis sûr qu'il n'y a pas à s'inquiéter outre mesure au sujet de votre père. Je vais essayer de faire parvenir un télégramme « réponse payée » à l'hôpital militaire. J'y vais tout de suite, Daisy.

– Mais alors, vous ne restez pas pour le thé comme vous l'aviez promis, regretta sa presque fiancée, apparemment très déçue.

Mais Mr Rowlands était déjà parti.

– Je crois qu'il n'a pas apprécié ma familiarité, dis-je lugubrement à table. Je n'aurais jamais dû l'embrasser. Mais, oh, Daisy, le désir m'en a pris si spontanément !

– Je comprends, ma chérie.

– Je n'ai pas pu m'en empêcher. J'aurais agi de la même façon avec... le commandant de son régiment. D'après toi, dois-je lui faire des excuses ?

– Oh non, Jo, surtout pas, je t'en supplie ! me conseilla ma sœur, qui laissa échapper un sourire malgré la gravité du moment.

– D'accord, j'espère qu'il ne m'en veut pas trop, dis-je pensivement. Peut-être pourrais-tu lui expliquer que je le considère pratiquement comme...

J'allais dire mon « beau-frère », mais Daisy me coupa la parole.

– Allons, Jo, assez d'enfantillages! Mr Rowlands a sûrement très bien compris ton... ton geste. Ne t'inquiète plus!

– Oh, je ne m'inquiète pas vraiment, j'ai bien d'autres soucis en ce moment, soupirai-je.

Ce n'est que tard dans la soirée que je repensai à ma lettre de rupture à Hilary.

Seigneur! Si je l'avais laissée sur la console de l'entrée, Elisabeth risquait de l'avoir portée aux *Tourelles*. Cette pensée me terrifia.

Car il n'était plus question de rompre : comment aurais-je pu être assez cruelle pour infliger ce surcroît d'angoisse à maman?

Quelle importance que *Les Tourelles* m'apparaissent comme une geôle et ce mariage comme une condamnation à la prison à perpétuité? Ces sentiments égoïstes n'étaient plus de mise : le bien-être des miens passait avant tout.

Tous les fiancés trouvaient sans doute des défauts à leurs futures épouses et s'estimaient le droit de les réprimander à l'occasion. Et tous les maris se montraient parfois... exaspérants; maman nous l'avait souvent répété.

Hélas, la plupart des jeunes filles n'étaient pas assez riches pour s'offrir le luxe de mourir célibataires.

Refuser d'épouser Hilary était un enfantillage indigne de moi.

Le cœur battant je courus dans l'entrée. Je ne vis la lettre nulle part. Quand j'interrogeai Elisabeth, elle affirma qu'elle n'avait rien remarqué.

Et si l'ingénieur l'avait ramassée? Comme il allait à la poste, il avait peut-être pensé nous rendre service en se chargeant de l'expédier...

Quelle catastrophe! Je poussai un long soupir et enfonçai machinalement la main dans la poche de ma jupe. Je poussai un cri de joie : je l'avais retrouvée!

Je dépliai la lettre et la relus attentivement : c'était au moins une satisfaction de l'avoir écrite...

Je la déchirai en menus morceaux et, l'ayant déposée dans la bassinoire de cuivre de la salle à manger, y mis le feu.

Et voilà! En cendres, ma tentative de rupture!

Après avoir accompli ce noble geste, je fus saisie d'une nouvelle crainte : Hilary n'avait-il pas décidé de son côté de rompre, après notre terrible scène?

Oh, horreur!

J'aurais alors gâché l'avenir de maman et perdu *Les Tourelles* et tout ce que cela comportait, sans avoir la satisfaction d'être à l'origine de la rupture.

Oui, supposons que ce soit lui qui rompe...

Plus tard dans la soirée, cet affreux pressentiment se mua en quasi-certitude.

Peu après l'arrivée d'un télégramme venant de Boulogne et disant : « Père blessé éclat d'obus bras droit, état toujours critique », on m'apporta une enveloppe épaisse portant sur le rabat l'artistique monogramme de mon fiancé.

Le cœur battant, je m'en saisis et l'ouvris en tremblant.

Quand je la dépliai, une bague roula sur mes genoux : la grosse chevalière en or de Hilary avec ses initiales.

Sa lettre commençait ainsi :

Ma petite fille adorée, je regrette de m'être emporté ainsi ce matin.

J'interrompis ma lecture et soupirai de soulagement : ainsi, mes craintes n'étaient pas fondées!

Il poursuivait :

Me pardonnerez-vous ma rigueur qui a sans doute blessé votre cœur sensible?

Je joins une bague pour remplacer celle que vous avez perdue : je ne voulais pas que votre pauvre petite main restât nue toute une nuit. Faites-moi savoir si elle a besoin d'être resserrée.

Suivait une nouvelle à laquelle j'étais loin de m'attendre :

Je passerai demain avant le repas de midi pour vous entretenir de deux projets qui me tiennent à cœur. Je vous soumets déjà le premier afin que vous puissiez y réfléchir cette nuit.

Chère Joséphine, il s'agit de la date de notre mariage que j'aimerais voir célébrer le plus vite possible. Voici ma suggestion : pourquoi ne pas profiter de la prochaine permission de votre père, prévue d'ici une quinzaine de jours, pour nous marier ?

Bonne nuit, tendres pensées de votre,

Hilary.

Dans quinze jours ! Dieu merci, la blessure de papa rendait ce projet irréalisable.

Je passai ensuite à l'annulaire de ma main gauche la chevalière qui aurait été assez grande pour mes doigts de pied !

Le lendemain matin, nous reçûmes un nouveau télégramme de maman nous apprenant qu'une légère amélioration s'était produite dans l'état de mon père.

Ma joie était si grande que j'en oubliai la visite de Hilary.

Il arriva très tôt, trop tôt ! Je dois lui rendre cette justice que ses premiers mots furent pour s'enquérir de la santé de papa. Il n'avait su la nouvelle que tard dans la soirée.

— Vous avez dû me juger sans cœur, ma chère, de laisser un malentendu planer entre nous, juste le jour où vous parvenaient ces terribles nouvelles, dit-il en me prenant les deux mains.

Je les lui retirai un peu trop vivement.

– Vous m'en voulez encore, petite demoiselle, de m'être ainsi fâché au sujet de cette bague? demanda-t-il alors d'une voix solennelle et lourde de sous-entendus.

– Oh, non! Non, dis-je. Je vous en prie, asseyez-vous.

– Merci, fit Hilary en restant debout. C'était, certes, une fort belle bague, Joséphine, mais votre confiance a bien plus de prix à mes yeux... Hum... Allez-vous me permettre de vous donner un baiser en gage de réconciliation?

Il eût été ridicule de différer davantage cette épreuve. Résignée, j'allais lui tendre la joue... Mais une force incontrôlable m'empêcha d'aller jusqu'au bout de mon geste.

Je me sentais incapable d'accomplir ce que la raison me dictait.

– Oh, Hilary, est-ce bien nécessaire? demandai-je d'un ton suppliant. Comprenez-moi, je suis si inquiète pour papa! Cela me rend... enfin... comment vous dire? Je ne suis pas d'humeur à...

– Soit, soit, répondit Hilary d'un ton plein de compassion. Jamais je ne me permettrais de forcer la pudeur de ma petite fille adorée. Je comprends et respecte votre chagrin, Joséphine.

– Oh, comme vous êtes bon! Merci! dis-je en lui tendant ma main baguée.

– Vous ne me verrez jamais manquer de respect envers vous, Joséphine, assura-t-il.

Il lâcha ma main qu'il retenait depuis trop longtemps à mon goût, se tourna vers la vitrine aux bibelots et s'absorba dans la contemplation des décorations de notre grand-père.

Je m'assis et pris ma corbeille à ouvrage.

– Est-ce vraiment le moment de faire de la couture, Joséphine? Je préférerais que vous prêtiez attention à ce que j'ai à vous dire.

– Oh, mais je peux vous écouter tout en cousant, affirmai-je.

Je posai néanmoins mon ouvrage pour ne pas le désobliger.

– Votre père sera sans doute rapatrié très prochainement : je souhaite, ma chère Joséphine, que nous nous mariions dès son retour, commença-t-il d'une voix neutre.

A l'énoncé de cette proposition tout à fait naturelle, j'eus la bouche sèche et m'entendis remarquer avec un tremblement dans la voix :

– Vous savez... je ne crois pas... euh... enfin, je ne suis pas tout à fait sûre d'être amoureuse de vous. Hilary, ne croyez-vous pas que...

– Oh, mais chère petite, c'est tout à fait naturel, rétorqua-t-il avec détermination. Vous êtes trop jeune pour savoir ce qu'est l'amour! Je vous l'apprendrai.

Il parlait de l'amour comme s'il s'agissait du piquet ou de la grammaire latine! J'eus la conviction que mon malheur était irrémédiable.

Et, sans transition, il m'exposa son deuxième projet :

– Le soir de mon retour, je vous avais fait part de mon désir de voir une femme sérieuse prendre en main les destinées des habitants de cette maison jusqu'au retour de votre mère. Eh bien, j'ai trouvé la personne idéale. Je pense qu'elle refusera d'autant moins de s'installer ici que ce ne sera que pour quelques semaines...

– Et cette personne, murmurai-je profondément abattue, c'est...

– Il s'agit de Jeanne Mc Alister, ma demi-sœur, une excellente femme, dit Hilary avec une évidente satisfaction. J'ai déjà écrit à vos parents pour les mettre au courant de ma décision, qu'ils approuveront sûrement.

Miss Jeanne Mc Alister ne tarda pas à arriver.

C'était une femme sèche, anguleuse, aux pommettes saillantes et aux ternes cheveux blonds. Elle portait, comme son demi-frère, des lunettes derrière lesquelles on devinait deux petits yeux dont on pouvait sans doute découvrir le charme caché au bout d'une bonne vingtaine d'années...

Son arrivée fut marquée par une bévue impardonnable : elle nous confondit, Daisy et moi!

– Voyons, laquelle est Joséphine, la fiancée de Hilary? Ah, oui, vous naturellement (elle hoche la tête dans ma direction)! Celle qui a les cheveux raides et une grande bouche!

– C'est exact, admis-je du bout des lèvres.

Moi qui espère toujours que les gens ne remarqueront pas ma bouche! Et voilà que les premières paroles de ma future demi-belle-sœur avaient pour effet de remuer le fer dans la plaie!

Elle a immédiatement pris en main l'éducation des O.V.2 qui se sentent totalement écrasés par sa vigoureuse personnalité. Comme moi, d'ailleurs! Et comme tous nos visiteurs!

Seul, l'ingénieur semble échapper à son emprise : rien ne peut le détourner de la volonté de faire sa cour à Daisy.

Pauvre Daisy! Je dis pauvre car il y a une ombre au tableau : le camarade de l'ingénieur, ce ridicule Mr Smith, insiste pour l'accompagner à chacune de ses visites.

Comme il ne se sépare jamais de son banjo, il s'en sert comme prétexte pour enlever Daisy à son prétendant en la forçant à l'accompagner au piano.

Quelle honte! Ma sœur, musicienne si brillante, en est réduite à tapoter les accords de rengaines aussi stupides que *La valse du baiser!*

N'est-ce pas invraisemblable?

Il n'a aucune pitié :

– Votre pouce vous fait mal? Tant pis, servez-vous de vos autres doigts! dit-il gaiement.

Je n'arrive pas à comprendre l'attitude complaisante de Dick Rowlands à son égard.

Il y a tout de même un bon point en sa faveur : son manque de distinction exaspère tellement Hilary qu'il écourte systématiquement ses visites de fiancé quand Mr Smith est là!

Ma future demi-belle-sœur, de son côté, prend très au sérieux ses devoirs de chaperon : en dépit de mes efforts, les tête-à-tête entre Dick et Daisy ne sont guère plus fréquents qu'entre lui et moi!

Je trouve d'ailleurs qu'il ne devrait plus différer sa demande. Mais peut-être l'a-t-il déjà faite...

Un soir, pendant que nous nous brossions les cheveux dans la chambre de Daisy, je me suis risquée à l'interroger.

– Oh, Daisy, sois bonne : dis-moi tout!

– Tout quoi, Jo?

– Allons, ne fais pas l'innocente! m'emportai-je. Tout le monde a remarqué les visites assidues d'un certain beau militaire à une jeune personne fort éprise de musique... Oh, Daisy, dis-moi : s'est-il déclaré?

Le visage de ma sœur s'assombrit. Elle murmura avec regret :

– Eh bien, non. Pas vraiment...

– Cela ne saurait tarder, affirmai-je, péremptoire.

– Si seulement je pouvais en avoir la certitude, Jo...

– Aie confiance, ce n'est plus qu'une question d'heures! la réconfortai-je, convaincue que l'ingénieur lui déclarerait sa flamme dès qu'on lui en laisserait l'occasion.

– Ah, quelle terrible épreuve! gémit-elle en brossant rageusement ses boucles noires.

Cette impatience ressemblait si peu au tempérament d'artiste de ma sœur que j'en restai bouche bée et préférai me retirer discrètement.

– Bonsoir, ma chérie, rêve à ton bonheur futur...

– J'en ai assez de rêver, l'entendis-je murmurer au moment où je fermais la porte.

Venons-en donc au drame qui a éclaté le soir suivant.

Hilary avait été retenu par un accident qui s'était produit dans un lotissement de villas dont il était l'architecte. Il avait appris avec consternation que le rez-de-chaussée des villas était en train de s'effondrer et il s'était rendu d'urgence sur les lieux du sinistre.

Miss McAlister et moi étions sorties faire le tour du jardin pour profiter de la fraîcheur du soir.

Dans le crépuscule toutes les fleurs devenaient phosphorescentes : c'était un véritable feu d'artifice de pivoines, de fleurs de tabac et de jasmin étoilé.

Avec une intuition quasi médiumnique, miss McAlister me dit soudain :

– Votre sœur... Mon frère m'a vaguement parlé d'un projet de mariage avec ce Mr Rowlands qui semble passer sa vie chez vous. Leurs fiançailles n'ont pas encore été annoncées, n'est-ce pas ?

– Oh, non, répondis-je un peu trop vite. Je ne crois pas qu'il se soit déclaré...

– Mais il en a l'intention ? insista ma future demi-belle-sœur d'une voix pincée. Vous en êtes sûre ?

– Oh, oui ! fis-je avec conviction. J'en suis absolument sûre. Il devrait même agir très vite.

Tout en parlant, nous venions de tourner dans l'allée qui mène au « coin des amoureux ».

En arrivant près de la tonnelle, nous nous rendîmes compte que le banc était occupé.

J'entendis la voix de Daisy, douce, mélodieuse et pleine d'adoration.

– Oh, mon chéri, comment ai-je pu vivre sans vous connaître?

Je perçus alors le bruit d'un baiser, puis d'un autre baiser, et d'un autre encore, dans le calme de ce soir d'été.

Ainsi, c'était fait! L'ingénieur lui avait ouvert son cœur!

Déjà miss McAlister avait tourné les talons pour fuir le lieu de ce tendre entretien et je m'apprêtais à en faire autant.

J'avais le cœur chaviré: ma réaction était sans doute stupide mais je me sentais presque jalouse du bonheur de ma sœur.

Ma foi, ainsi va la vie! Certaines sont destinées à s'étioler auprès de leur Hilary, d'autres à s'épanouir dans la félicité la plus pure auprès de beaux ingénieurs...

Comme je m'en allais discrètement pour respecter l'intimité des deux tourtereaux, j'entendis Daisy murmurer:

– C'était comme de vivre dans un monde sans soleil!

Soudain, je m'arrêtai, clouée au sol:

– Ah, ah! venait de s'exclamer une voix hilare. N'ayez pas peur, mon chou, votre Billy adoré ne vous laissera jamais dans le noir!

– Quoi! m'écriai-je, incapable de me contrôler. Oh, Daisy!

Mon cri fut suivi d'un silence terrifiant. Puis un bruissement se produisit sous la tonnelle et ma sœur, les cheveux en désordre, sa robe blanche se détachant comme une tache de lumière dans la pénombre, apparut dans l'allée, accompagnée par l'ineffable Mr Smith, celui-là même qui venait de se déclarer « son Billy adoré ».

– C'est donc vous qui êtes là... avec elle? demandai-je stupéfaite au jeune homme.

Question d'autant plus stupide, me direz-vous, qu'il tenait Daisy par la taille!

– C'est vous! C'est à vous qu'elle disait... euh... toutes ces choses? Pas à Dick Rowlands?

Daisy restait muette. C'était normal : ma sœur était bien trop honteuse pour ouvrir la bouche. Quant au jeune homme, il hésitait sur la conduite à adopter.

Comme nous étions tous trois dans l'expectative, une remarque fort prosaïque de miss McAlister mit fin au plus gênant des silences.

– Il commence à faire vraiment humide, dit-elle juste derrière moi. Nous devrions rentrer, Joséphine.

Subjuguée, je suivis ma future demi-belle-sœur, abandonnant au couple le jardin, la rosée du soir et « le coin des amoureux ».

Quand je lui portai le verre de lait chaud qu'elle prenait chaque soir avant de se coucher, miss McAlister ne m'épargna pas ses sarcasmes.

– Eh bien, ma chère Joséphine, vous vous étiez pour le moins trompée sur l'identité du favori de votre sœur!

– Trompée! fis-je avec indignation. Je ne me suis pas trompée! Daisy est... était... doit être amoureuse de l'ingénieur!

Pâle de colère je m'assis sous la fenêtre. La tête me tournait.

– Daisy n'était plus la même depuis que Mr Rowlands fréquentait notre maison, poursuivis-je farouchement.

– C'est qu'il vient rarement seul, remarqua miss McAlister. L'autre jeune homme l'accompagne presque toujours.

– Enfin, comment a-t-elle pu jeter son dévolu sur ce piètre individu? C'est invraisemblable!

– Et pourquoi donc, Joséphine?

– Mais... euh... on ne peut pas comparer... euh... ce benêt de Smith à un garçon comme Dick!

– Votre sœur a peut-être jugé que ce bel ingénieur était trop long à se décider, rétorqua placidement miss McAlister en buvant son lait à petites gorgées.

– Comment! m'exclamai-je, interloquée.

Je renonçai à discuter et lui souhaitai sèchement le bonsoir avant de me retirer dans ma chambre pour y méditer tout à loisir sur les événements de la soirée.

Je ne méditais pas depuis plus de trois minutes quand on frappa à ma porte. Le visage de Daisy apparut dans l'entrebâillement.

– Tu dors, Jo?

– Dormir? Ah oui, vraiment, comme si je pouvais dormir après...

– Après quoi? demanda ma sœur d'une voix tremblante.

Comme elle était jolie dans sa robe de chambre jaune taillée dans une ancienne sortie de bal de notre mère...

– Ce Mr Smith... Vous... Il.. Ainsi, il te faisait la cour! Car je ne vois pas d'autres mots pour définir son inqualifiable conduite!

– L'expression n'est pas choquante! rétorqua Daisy.

– Oh, mais c'est indigne de toi! m'exclamai-je.

– Pourquoi?

– Si tu espérais rendre jaloux le garçon que tu aimes en feignant d'accorder tes faveurs à son rival, ce n'était pas la peine de...

Et, incapable d'exprimer le fond de ma pensée, je conclus :

– Après m'avoir confié l'autre soir que tu étais follement amoureuse!

– Mais je suis amoureuse, admit Daisy. Tu ne

crois tout de même pas que je l'aurais laissé m'embrasser dans le jardin si je n'avais pas été amoureuse!

Il me fallut une bonne demi-minute pour comprendre la signification de cette extraordinaire déclaration. Oh, non! Ce n'était pas possible!

– Mais c'est Mr Smith qui t'embrassait dans le jardin, balbutiai-je.

La réponse de Daisy me stupéfia.

– Et c'est Billy Smith que j'aime, dit-elle avec fierté. Et je vais l'épouser.

– L'épouser? Oh, ce n'est pas vrai!

– Il m'a demandé ma main sous la tonnelle, murmura-t-elle, radieuse.

Elle se glissa à côté de moi dans le lit et, me prenant tendrement par l'épaule :

– Sois gentille, Jo, me dit-elle. Ne gâche pas mon bonheur, c'est le plus beau jour de ma vie!

Muette de stupeur, je lui serrai le bras comme on se raccroche à une bouée de sauvetage. J'exhalai un profond soupir.

– Amoureuse, toi, d'un Billy Smith!

Daisy se raidit imperceptiblement.

– Attention, Jo, tu parles de l'homme de ma vie.

– Excuse-moi, ma chérie, mais tout cela est tellement extraordinaire...

J'appuyai la tête contre les barreaux de cuivre du lit pour y trouver un peu de fraîcheur.

– Mais alors, pourquoi avoir encouragé Dick Rowlands?

– Je ne l'ai jamais encouragé, s'étonna Daisy.

– Oh, mais si, affirmai-je sévèrement. Vous étiez inséparables. Sais-tu que dès le début il m'a confié... son attachement pour toi?

Comme ma sœur ne répondait rien, j'entrepris de lui expliquer que j'avais promis à sa mère de lui trouver une fiancée et, avec des accents pathétiques, je déplorai mes échecs successifs.

Oh, pauvre, pauvre Dick! Je faillis fondre en larmes en songeant aux souffrances de l'ingénieur.

– Allons, tu exagères!

– Oh non, et je compte sur toi pour le mettre au courant de ta trahison dans les plus brefs délais, Daisy.

Son visage radieux s'assombrit.

– Euh... je n'y avais pas pensé... Mais naturellement, s'il le faut, balbutia-t-elle. Il comprendra que... c'est une sorte d'accident...

– Une sorte d'accident! C'est la seule excuse que tu as trouvée?

– Oh, mais je ne sais vraiment pas quoi lui dire! s'exclama Daisy, prise de panique.

Brusquement elle se pencha vers moi.

– Oh, Jo, j'ai une idée! Pourquoi ne parlerais-tu pas à Dick Rowlands à ma place?

Ma première réaction fut un refus indigné.

– Oh, Jo, ma petite Jo chérie, ma bonne, ma généreuse petite sœur, s'il te plaît! Ce n'est pas à moi que je pense...

– Non? C'est à moi, peut-être? Enfin, Daisy, cela me brisera le cœur d'annoncer tes fiançailles à Dick Rowlands!

– Justement, je ne pense qu'à ça! s'exclama ma sœur. Il lui sera beaucoup moins pénible de l'apprendre par ta bouche.

– Et pourquoi?

– Euh... je le sais, c'est tout.

– Tu le connais mieux que moi... enfin... je voulais dire... vous avez si souvent discuté ensemble...

Epuisée et vaincue, je posai la tête sur mon oreiller.

– Ma foi, si tu penses que le choc sera moins rude si c'est moi qui lui parle...

– J'en suis convaincue.

– Bon, j'essaierai de lui expliquer la situation avec ménagement, promis-je.

– Oh, tu es un amour! s'exclama-t-elle en m'embrassant. Maintenant, il faut que j'aille me coucher, sinon j'aurai une mine épouvantable.

Et Daisy s'en fut d'un pas léger, dans sa robe de chambre jaune...

Alors que je me préparais à passer une nuit blanche après cette nouvelle catastrophe, je sombrai dans un profond sommeil, aussitôt seule.

6

Le lendemain, je prévins à la maison qu'on ne m'attende pas pour déjeuner : j'avais décidé d'aller voir l'ingénieur pendant la pause de midi et de l'accompagner dans ses quartiers.

Cette nouvelle mission me pesait sur l'estomac autant que le plus indigeste des cakes de tante Montague.

J'avais eu néanmoins une consolation à mon réveil : une lettre rassurante de maman nous avait appris que la blessure de Teddy se cicatrisait rapidement et que son rapatriement était imminent.

En revanche, une visite matinale de Hilary m'avait vivement contrariée.

J'étais en train de laver les brosses à cheveux quand Elisabeth vint me prévenir que mon fiancé me demandait.

Elle-même nettoyait le salon, et tous les fauteuils étaient sortis dans l'entrée. Quant à miss McAlister, elle s'était installée dans la salle à manger pour faire son courrier.

J'introduisis donc Hilary dans le capharnaüm que papa baptise pompeusement son bureau.

Je remarquai immédiatement l'expression de triomphe peinte sur son visage.

– Eh bien, vous voyez que j'avais raison, Joséphine, commença-t-il d'un ton suffisant. N'est-ce pas que j'avais raison ?

Devant mon air ahuri, il précisa :

– Au sujet de votre sœur Daisy : j'avais raison !

– Oh... fis-je piteusement, ramenée à la tragique réalité.

– Tôt ce matin, ma sœur est venue m'apprendre les événements de la soirée. Vous voyez, j'avais parfaitement raison.

– Ah bon ? m'étonnai-je. Vous aviez deviné qu'elle préférait Billy Smith ?

– Je ne fais pas allusion à cet aspect de la question...

Hilary se mit à pianoter sur le bureau de papa.

– J'avais deviné que les visites de ce Rowlands n'étaient pas destinées à votre sœur. Comme je le soupçonnais, c'est vous qu'il venait voir !

– Oh, Hilary ! Vous dites n'importe quoi ! m'exclamai-je avec violence.

La cruelle désillusion de l'ingénieur méritait plus de commisération.

– Hilary, tentai-je d'expliquer patiemment, c'est à Daisy qu'il rendait visite. Il ignore encore l'infidélité de ma sœur et je crains qu'il en ait le cœur brisé.

– Le cœur brisé, vraiment !

– Oui, et je vais avoir la pénible tâche de lui annoncer la nouvelle aujourd'hui.

– Vous, Joséphine ?

Il avait cessé de pianoter et me fixait intensément.

– Et pourquoi votre sœur ne se charge-t-elle pas de cette « pénible tâche » ?

– Elle... elle a pensé... qu'il lui serait moins douloureux d'apprendre la nouvelle de ma bouche.

– Oh...

– Oui.

– Dans ce cas, Joséphine, je vous serais reconnaissant de mettre sans plus tarder les choses au point avec lui.

– Quelles choses?

– Vous lui direz que votre sœur étant fiancée à un autre, il serait décent qu'il cesse désormais ses visites.

– Vous voulez que je demande à Dick Rowlands de ne plus venir nous voir? Tout simplement parce que vous n'aimez pas les jeunes gens, parce que vous haïssez les militaires? criai-je avec indignation. Pourquoi serais-je aussi méchante?

– Je ne vous demande pas d'être méchante, fit-il doucereusement. Je voulais juste...

– Vous voulez juste que je lui interdise l'accès de notre maison! Je refuse de me faire le porte-parole d'un désir aussi ridicule, aussi mesquin!

Je m'interrompis pour reprendre haleine, et il en profita pour demander de sa voix compassée :

– Dois-je parler moi-même au jeune Rowlands?

C'était de toute évidence un ultimatum. Je lui aurais volontiers jeté sa bague à la figure. Mais je résistai à la tentation : c'était un luxe que je ne pouvais pas m'offrir.

– Très bien, c'est moi qui lui parlerai. Je pense que seule une femme saura le réconforter...

– Je ne doute pas que ce jeune homme soit heureux d'éveiller enfin votre intérêt en jouant sur votre pitié...

– Mais enfin, Hilary, qu'allez-vous imaginer? On dirait que vous êtes jaloux, insinuai-je en essayant de piquer sa vanité.

– Je ne ferai pas cet honneur à ce jeune freluquet! rétorqua-t-il en rougissant jusqu'aux oreilles.

Il sortit alors un paquet de lettres non décachetées de la poche intérieure de son veston de sport, et, à ma grande surprise, il s'installa sans plus de façons au bureau de papa.

— Si vous permettez, dit-il sèchement, je vais jeter un coup d'œil à mon courrier pour vous laisser le temps de réfléchir, Joséphine. Décidez-vous : l'un de nous ira parler à cet ingénieur.

Et, sur ces paroles lourdes de menaces, il s'absorba dans la lecture de sa correspondance.

Désorientée, je jetai dans la corbeille à papiers un bouquet d'œillets fanés puis je le regardai lire.

Le grand nombre d'enveloppes brunes indiquait qu'il s'agissait essentiellement de lettres d'affaires. Je m'en étonnai, persuadée que le providentiel héritage qu'il venait de faire lui avait permis de s'en sortir.

L'une d'elles était différente et il me la tendit avec superbe : May Smith l'y remerciait pour toutes « les aimables suggestions » qu'il avait faites lors de sa visite au *Clair Logis*. May que je croyais si réservée s'y montrait étonnamment expansive et chaleureuse.

Soudain il bondit, comme si une guêpe l'avait piqué.

— Quoi? s'écria-t-il.

Sa réaction avait été si violente que la chaise tomba derrière lui dans un grand fracas. Je le regardai, stupéfaite.

Son visage était pourpre de rage; il serrait dans sa main la lettre froissée.

— Moi! M'écrire ça à moi! hurla-t-il. A moi! Mais c'est inqualifiable! Absolument inqualifiable!

— Que se passe-t-il, Hilary? demandai-je prudemment. De quoi s'agit-il?

Mais mon fiancé ne semblait pas m'avoir entendue. Il se précipita hors de la pièce et avant même que j'aie eu le temps de faire un pas, la porte du jardin claquait derrière lui.

Enfin, il était parti...

Il était déjà midi et, au chantier du pont, les hommes allaient bientôt s'arrêter pour déjeuner.

J'avais prévu, vous le savez, d'intercepter Mr Rowlands pour lui faire part de « l'affreuse nouvelle ».

Je supposais également – oh oui, « je supposais » – qu'il me faudrait lui toucher un mot de la jalousie déplacée de Hilary et de son désir de ne plus le rencontrer à la maison.

Peut-être aurait-il le bon goût de prendre la chose avec humour... J'avais tellement honte de devoir lui transmettre une consigne aussi absurde!

Je courus dans ma chambre pour revêtir ma robe neuve en mousseline crème, parsemée de bouquets de roses : maman disait souvent qu'une jolie toilette permettait de mieux affronter les situations difficiles.

Dans les circonstances présentes, j'avais vraiment besoin de mettre tous les atouts de mon côté. J'allai jusqu'à glisser quelques brins de jasmin dans ma ceinture.

Enfin, armée de mon ombrelle rose, je pris le chemin du chantier.

Quand j'aperçus l'ingénieur, mon cœur se serra : il venait à ma rencontre, le sourire aux lèvres...

– Bonjour! dit-il gaiement. Hum, une robe neuve! Elle est ravissante.

Le compliment d'un jeune homme qui remarque que vous portez une robe neuve est plus précieux que tous les joyaux du monde. Je soupirai, regrettant que Daisy ait éconduit un tel prétendant.

– Dick, commençai-je d'un ton lugubre, je suis désolée, mais je vous apporte de mauvaises nouvelles.

Toute gaieté disparut aussitôt de son visage bronzé. Il me regarda anxieusement.

– De mauvaises nouvelles? Mon pauvre petit! C'est de votre père?

Je le détrompai.

– Non! Il s'agit de...Daisy!

– Mon Dieu! Est-elle malade? s'empressa-t-il de demander.

– Malade? Hélas, non! Elle se porte à merveille, rétorquai-je, toujours aussi lugubre. Rassurez-vous, elle va très bien, trop bien!

Lorsque j'avais quitté ma charmante sœur, elle était d'ailleurs resplendissante et semblait se moquer éperdument de briser le cœur d'un honnête garçon.

– Non, Daisy n'est pas malade, le rassurai-je donc. C'est pire!

– Vraiment? Et si nous faisions quelques pas pendant que vous me racontez vos malheurs. Passez-moi cet objet encombrant, ajouta l'ingénieur en me prenant des mains l'ombrelle rose.

Il la tint cérémonieusement au-dessus de ma tête tandis que nous nous dirigions lentement vers la clôture d'un champ inondé de soleil.

Qu'elle était verte et fraîche, la haie à laquelle nous nous appuyâmes! Elle embaumait le chèvre-feuille.

Pendant un moment nous écoutâmes le chant des grillons dans les herbes hautes. Puis, courageuse-ment, je me décidai:

– Il est arrivé une chose épouvantable, Dick, et cela vous concerne... Oh! Inutile de louvoyer: autant vous le dire franchement.

Je m'éclaircis la gorge et repris d'une voix plus tremblante encore:

– Daisy, que vous deviez épouser, et que je dési-rais ardemment vous voir épouser... Oh, Dick! Vous auriez fait un si beau couple! Vous, dans votre bel uniforme, elle, coiffée du voile en dentelle de Valence de maman, passant sous une double rangée de sabres...

– Hum... laissons les sabres de côté, vous voulez

bien? fit mon interlocuteur d'un ton apaisant. Qu'est-il arrivé à Daisy?

– Je ne sais pas, la chaleur de ces derniers jours a dû lui monter à la tête, dis-je en manière d'excuse. Enfin, voilà : Daisy... euh... Daisy ne vous aime pas, Dick !

Le chant des grillons masqua le silence pesant. Nous nous remîmes à marcher lentement. Pas une seconde le manche de l'ombrelle rose ne trembla dans la main de l'officier. Il était si brave !

J'observai à la dérobée son beau profil qui se détachait sur le bleu du ciel. Il serrait très fort les lèvres comme quand on veut s'empêcher de pleurer ou de rire. Pauvre Dick !

Enfin, il dit avec une grande simplicité, d'une voix ferme :

– Comment l'avez-vous appris, Jo ?

– Oh, malheureusement, il n'y a pas d'erreur possible, fis-je piteusement. Elle me l'a dit elle-même.

– Daisy ? demanda-t-il, visiblement bouleversé.

– Oui, elle a reconnu qu'elle en aimait un autre. Vous comprenez, je... enfin, je les avais surpris ensemble, expliquai-je. Dans le jardin, hier soir, Daisy et... l'autre...

– Ce sacré Smith..., fit doucement l'ingénieur. Je savais bien qu'il avait succombé à son charme.

– Quoi ? Vous aviez deviné ? m'exclamai-je, émerveillée par sa perspicacité. Moi, je n'avais jamais prêté attention à ce Mr Smith. Quant à imaginer Daisy tombant amoureuse de lui...

– Allons ! Smith est quelqu'un de formidable !

– Mais elle vous avait, vous ! répliquai-je, indignée.

– Vous me flattez, murmura Dick Rowlands.

Il eut un drôle de petit rire, destiné à masquer sa douleur, naturellement.

– C'est adorable de votre part d'insinuer que

votre sœur a eu tort d'en préférer un autre. Mais vous savez, l'amour ne se commande pas...

– Dans le cas de Daisy, ce n'est plus de l'amour, c'est de la folie. Oh, Dick, comme j'admire votre générosité!

– Allons, je vous en prie, Jo!

– Si, si, je vous jure! Combien d'hommes réagiraient ainsi en voyant l'élue de leur cœur leur préférer leur meilleur ami? Pas une plainte, pas un mot de colère : vraiment, Dick, vous êtes extraordinaire!

– Allons, petite fille, ça suffit! Ne dites pas de sottises. Vous parlez sans savoir. Qui plus est...

– Qui plus est?..., répétai-je doucement.

– Je ne peux rien vous dire encore.

Que de mystères!

Nous avions atteint les abords du chantier. L'ingénieur dit alors de sa voix chaleureuse, au prix sans doute d'un grand effort :

– Eh bien, ainsi s'achève la... C'était notre troisième essai, n'est-ce pas, Jo? Deux de ces demoiselles se sont immédiatement fiancées à un autre : qu'allez-vous faire de moi, à présent?

– Que vais-je faire de vous? répétai-je pour essayer de gagner du temps. Ne me dites pas que vous me faites encore confiance!

– Et pourquoi pas? Alors?

– Ou... oui..., fis-je, glacée jusqu'à la moelle. Mais... malheureusement, ce n'est pas possible!

– Pourquoi? Pensiez-vous qu'en apprenant... la défection de miss Daisy j'allais me mettre à pleurer comme un bébé, m'enfuir en courant et haïr les femmes jusqu'à la fin de mes jours?

– Non... bien sûr..., balbutiai-je. Mais je croyais que vous alliez partir.

– Et abandonner mon pont à demi terminé? C'est impossible, voyons!

– Oh, je ne voulais pas dire abandonner le pont;

je pensais simplement que vous n'auriez plus envie de nous rendre visite, expliquai-je gauchement.

– Eh bien, vous vous êtes trompée, rétorqua-t-il avec un calme olympien. Ma chère Jo, j'ai même l'intention de vous rendre visite très prochainement.

– M... mais pourquoi?

– Pour présenter à Daisy tous mes vœux de bonheur...

– Non! Il ne faut surtout pas! l'interrompis-je brutalement. C'est... c'est l'autre chose que j'avais à vous dire : Dick, soyez gentil...

Ne trouvant pas mes mots, j'en fus réduite à citer d'une voix neutre les paroles de mon fiancé :

– Vous devez désormais cesser vos visites.

– Vous ne voulez plus me voir? demanda vivement l'ingénieur.

– Oh si! Je voulais dire... Là n'est pas la question. Ce n'est pas de moi qu'il s'agit.

– De qui alors?

Force m'était de lui avouer l'absurde vérité.

– C'est à cause de Hilary Sykes, mon fiancé. Il estime qu'à présent que Daisy... euh... enfin, il ne veut pas que vous veniez me voir, moi!

Incapable de soutenir son regard, je lui tournai le dos.

Ce que je vis alors me fit bondir d'horreur : Hilary Sykes était là, à trois mètres de nous!

Il avança dans notre direction.

« Bonté divine, pensai-je, il ne va tout de même pas nous faire une scène! »

Mais non : il se planta devant Mr Rowlands en m'ignorant totalement.

– Puis-je vous poser une question, monsieur?

– Mais, certainement, répondit Dick, parfaitement calme.

Et, à ma grande surprise, il lui posa une question tout à fait inattendue :

– Auriez-vous l'obligeance de me dire qui est le délégué militaire du district?

– Voulez-vous parler du C.E.C.? fit l'officier de la même voix polie et glacée.

– Oh, ce charabia m'est étranger. Je ne connais rien au jargon militaire. Je cherche simplement qui est le délégué militaire du district.

– Je ne connais pas cette fonction, affirma l'ingénieur en le regardant d'un air flegmatique.

Mais quelque chose me disait qu'il n'était pas aussi innocent qu'il voulait bien le paraître...

Il poursuivit :

– Est-ce un nouveau grade?

– Et vous êtes soi-disant soldat! s'exclama Hilary avec un profond mépris.

– Si tous les hommes du pays acceptaient de s'engager, on n'aurait pas besoin de « délégués militaires »! S'agirait-il par hasard du délégué au tribunal militaire?

– Bien sûr! hurla mon fiancé, perdant tout contrôle.

– Que vous veut donc le tribunal militaire Hilary? intervins-je.

L'ingénieur du pont demanda en même temps :

– Vous a-t-on convoqué?

– Cela vous surprend? aboya Hilary en foudroyant Dick du regard.

Celui-ci répéta froidement :

– Me surprendre? Pourquoi serais-je surpris?

J'observai ces deux hommes si différents qui semblaient se haïr. De toute évidence Hilary rendait Dick responsable de ses démêlés avec le tribunal militaire.

– Bien sûr, je me suis précipité chez mon médecin, mais apparemment il ne peut rien contre l'absurdité bureaucratique. C'est monstrueux! C'est inqualifiable! A moi!

Il s'en prit de nouveau à Dick :

– Eh bien, qui est ce délégué militaire?

– Hélas, je l'ignore, répondit l'officier, imperturbable. Je n'ai jamais eu de rapports avec le tribunal, Mr Sykes. Peut-être est-ce l'adjudant-major Browne...

– Adjudant-major? Qu'est-ce encore que ce grade?

– Ce n'est pas un grade, dit l'ingénieur. Browne est capitaine, je crois. C'est une bien rude tâche qu'on lui a confiée.

– Et il ne sait pas encore ce qui l'attend avec moi! M'incorporer de force dans l'armée! Moi!

Et, sans m'accorder un regard, sans saluer l'ingénieur, il s'en fut à grands pas.

Stupéfaite, je me tournai vers Mr Rowlands.

– Jamais je n'aurais cru que Hilary puisse être soldat: il doit y avoir une erreur.

– Il a moins de quarante ans, non?

– Bien sûr: il en a trente-cinq. Mais ses yeux...

– On peut très bien se battre avec des lunettes, remarqua sèchement l'ingénieur.

– Mais Hilary! Dans l'armée! Il est objecteur de conscience!

– Décidément! Mais revenons-en à ce que vous étiez en train de me dire, Jo, avant cette interruption.

Force me fut donc de reprendre notre entretien où il en était resté...

– Eh bien... Il m'a dit de vous dire... sinon il s'en chargera lui-même... qu'il s'opposait à vos visites chez nous!

– Que je sache, il n'est pas le maître de maison!

– Peut-être... mais il peut exiger de sa douce et tendre fiancée...

– Sa... quoi? Parlez-vous de vous, Jo?

Alors, brusquement, sa colère éclata.

– Saperlipopette! Jo, je ne comprends pas pourquoi vous vous êtes fiancée à ce sinistre individu!

– Vraiment! rétorquai-je d'une voix morne. On voit que vous ne connaissez pas *Les Tourelles*! C'est sa maison, la maison que je vais épouser : je ne suis pas différente des jeunes filles dont vous parliez dans le train avec tant de mépris.

– Ce n'est pas nouveau pour moi. Mais pourquoi avez-vous besoin de sa maison?

– Pour assurer à ma famille un minimum de confort et de sécurité s'il arrivait... quelque chose à...! Oh, j'ai eu peur que... Enfin, je ne pourrais pas supporter de voir ma mère dans le besoin! Tant pis si je vous dégoûte!

– Oh, ce n'est pas vous qui me dégoûtez... Mais ce Mr Sykes. Qu'en pense-t-il? Se figure-t-il que vous l'aimez?

– Oh non! Je lui ai bien dit que ce n'était pas le cas. Il a répondu qu'une enfant de mon âge ne pouvait pas savoir ce qu'était l'amour et qu'il m'apprendrait...

– Seigneur! Eh bien, jusqu'à présent on ne peut pas dire que ses leçons aient été efficaces!

– Oh, mais il a admis que j'avais pour l'instant bien assez d'ennuis comme ça et il se montre très respectueux à mon égard...

– Dieu du ciel! s'écria l'officier, si brusquement qu'il me fit sursauter.

– Mais oui, il est vraiment très correct!

– Et cependant, il n'hésite pas à régenter votre vie comme si vous étiez mariés?

– Hélas, Dick, si vous étiez fiancé...

– Si j'étais fiancé, je vous jure que ma future épouse n'aurait pas envie de recevoir d'autres visiteurs que moi!

– C'est évident, Dick. Mais toutes les fiançailles ne sont pas aussi simples : voyez-vous, le seul fait que j'accepte de l'épouser prouve que j'aime ma mère plus que lui.

– C'est pour le moins paradoxal, mais je crois que

je vous comprends. Si vous aviez le choix, vous en épouseriez aussi bien un autre... Moi, par exemple!

– Sans aucun doute, confirmai-je. Vous êtes pour moi comme un frère...

Je le vis froncer les sourcils et je m'en voulus de lui avoir rappelé que je ne serais jamais sa belle-sœur.

Des larmes de remords me montèrent aux yeux.

– Doux Jésus! s'exclama-t-il avec emportement, vous pleurez maintenant. Ecoutez, Jo, voilà qui suffit! Je vais dire deux mots à ce Mr Sykes.

– Oh non! Je vous en supplie, Dick, n'en faites rien!

– Vous êtes vraiment imprévisible! Enfin, que voulez-vous?

– Je veux continuer à être la fiancée de Hilary. Je veux pouvoir installer ma mère aux *Tourelles* s'il arrivait un malheur. Je dois être raisonnable.

– Vous êtes donc décidée à vous soumettre à ses exigences... me concernant?

– Je... je crois que oui, murmurai-je tristement.

– Soit! Jamais plus je n'irai vous voir, Jo. Je vous le promets.

– Je vous remercie, dis-je, le cœur lourd. Eh bien, adieu...

Je ne pouvais me résoudre à le quitter...

– Oh, comme vous allez me manquer, Dick! dis-je soudain.

Il sursauta, se pencha vers moi :

– Comment? Voulez-vous répéter, ma chérie?

Ma chérie! Avait-il réellement dit ma chérie, ou mon imagination me jouait-elle un tour?

Hélas, je ne le saurai jamais, car juste comme il venait de prononcer cette dernière phrase, l'ingénieur s'écria :

– Non, mais voyez-vous ça!

Je regardai mais ne remarquai rien d'autre que la

voile d'un gros chaland qui descendait majestueusement la rivière en direction du pont. Comment pouvais-je deviner qu'il risquait d'endommager sérieusement l'un des précieux soubassements du pont de Mr Rowlands?

Il donna une série d'ordres brefs, précis, sur un ton impérieux qui ne me déplut pas...

Mais je n'existais plus pour lui. Je ramassai mélancoliquement mon ombrelle qu'il avait lâchée sans plus de formes et remontai le sentier vers la maison.

Apparemment, Hilary s'y était arrêté avant mon retour car je trouvai les O.V.2 tout en émoi.

– Ça alors! Mr Sykes va aller à la guerre! s'écria Cecil. Lui qui ne supporte même pas de nous voir jouer aux soldats!

– Il n'est pas sûr du tout que Mr Sykes aille à la guerre, expliquai-je.

– Oh, j'espère bien que si! s'exclama Daisy, en digne fiancée d'un futur combattant. Quelle joie d'imaginer le délicat Hilary contraint d'avaler l'ordinaire des soldats! Lui qui s'est fait faire un matelas spécial, obligé de dormir à la dure sur un coin de sol français, parmi nos braves soldats! Hil...

Elle s'arrêta net et poussa un cri de souris prise au piège : miss McAlister se tenait sur le seuil du salon.

Pour couvrir la retraite de ma sœur qui s'enfuyait, rouge de confusion, je demandai d'une voix mal assurée :

– Cette convocation devant le tribunal ne signifie rien en soi, n'est-ce pas? Hilary, naturellement, va faire appel?

– C'est extrêmement probable, reconnut sèchement ma future demi-belle-sœur. Qui vivra verra, Joséphine.

7

Je ne peux m'empêcher de plaindre mon fiancé : il est à Londres où il fait le tour des administrations pour en appeler contre l'injustice dont il est la victime.

J'ai reçu de lui une lettre qui disait :

J'ai passé la quasi-totalité de la journée d'hier, ma chère Joséphine, dans un couloir dont les moulures seules sont une offense au bon goût.

C'est un véritable scandale! Vous savez comme j'ai horreur d'attendre. Eh bien, après avoir patienté pendant des heures et perdu tout espoir d'être reçu, je me suis accordé quelques minutes de répit pour prendre une collation dans le restaurant le plus proche, et ai découvert à mon retour qu'on avait appelé mon nom pendant mon absence! Je fus alors informé par un individu en uniforme que j'avais perdu mon tour et que je n'avais plus qu'à me représenter le lendemain!

Je ne saurais vous dire à quel point je suis éprouvé par cette sombre affaire...

Tendres pensées de votre,

Hilary.

Je ne pus m'empêcher de songer qu'il n'avait de « tendres pensées » que pour lui-même.

Enfin, Dieu merci, il était absent! Sa présence en ces jours de canicule nous rendrait la vie difficile; il serait sans doute horrifié de voir les O.V.2 déambuler dans leur costume de grande chaleur!

A mon plus profond étonnement, leur tenue ne semble pas choquer miss McAlister, la surprenante demi-sœur de Hilary, qui semble avoir réussi à apprivoiser les crapauds. Je l'ai même trouvée cet après-midi, avec Cecil à ses pieds et Harry sur ses genoux, en train de leur raconter une histoire. Je serais presque jalouse d'elle...

Mais j'ai eu une surprise bien plus grande encore : en descendant en ville, devant le salon de thé, j'ai aperçu ma sœur Daisy, vêtue de sa plus jolie robe et arborant un chapeau neuf, son fiancé Billy Smith et – oh, stupéfaction! – le rival malheureux de Mr Smith, l'homme à qui Daisy a si cruellement préféré son meilleur ami, l'ingénieur en personne!

Ils bavardaient de la manière la plus enjouée. Mr Rowlands avait dû rencontrer Daisy et l'élu de son cœur par hasard dans le salon et avait été obligé de faire bonne figure... C'est la seule interprétation convenable!

Je frémis à la pensée qu'ils pussent me voir : jamais plus je n'aurais le courage d'adresser la parole à Dick après avoir été contrainte de lui interdire l'accès de notre maison.

Prise de panique, je m'empressai donc de faire demi-tour et regagnai la maison par un chemin détourné.

Sur le seuil, je m'arrêtai net à la vue d'un déballage inattendu d'objets hétéroclites dans le vestibule.

Un casque à pointe portant un aigle déployé et la devise « Gott mit uns » étincelait, menaçant, sur la console. D'autres « souvenirs » jonchaient le sol : six obus vides, un patchwork de drapeaux alliés, une valise neuve, une boîte de chocolats garnie de faveurs roses et trois énormes cartons à chapeaux...

– Maman, tu es rentrée, maman! criai-je. Maman!

– Monte vite, Jo!

Oh, la voix chérie entre toutes!

Je découvris ma mère campée devant son grand miroir, en corset rose et jupon de soie verte : elle paraissait avoir tout juste vingt ans!

Je n'ai pas honte d'avouer que j'en pleurai de joie.

Ah, que de baisers je répandis sur son visage juvénile!

Elle put enfin m'expliquer qu'elle avait décidé de rentrer sans prévenir pour faire une surprise à ses grandes filles, qu'elle avait laissé Teddy, dont la blessure allait de mieux en mieux, à Londres, dans le plus confortable des hôpitaux militaires, et qu'elle l'avait trouvé bronzé, minci, bref, rajeuni par son aventure militaire.

– Mais laisse-moi te regarder, petite fille. Voyons un peu ce qu'est devenue ma Jo pendant ces longues semaines...

Elle me poussa avec autorité vers la fenêtre pour m'examiner à loisir.

– Ah çà! Par exemple!

– Par exemple? répétai-je timidement.

– Jo, que t'est-il arrivé?

– Arrivé?

– Oh, inutile de nier, ma toute belle! Tu as changé.

– Changé, maman?

– Cette enfant est devenue une vraie beauté, poursuivit-elle comme pour elle-même. Hum... mais oui! Nous sommes à présent aussi ravissante que Daisy!

Elle me regarda mieux.

– Jo, mon petit, tu vas m'expliquer...

Elle m'entraîna devant la glace et, désignant mon reflet :

– Ces yeux brillants, pleins d'une profondeur nouvelle... cette maturité... et pourtant, l'air moins... raisonnable. Jo, doux Jésus! Te voilà donc amoureuse?

La grande jeune fille gauche que j'apercevais dans le miroir rougit violemment.

– Parfaitement! s'exclama maman, radieuse. Ma petite Jo est amoureuse!

– Oh non! assurai-je, très gênée de devoir aborder ce sujet. Je suis peut-être fiancée, mais je ne suis pas...

– Si je m'attendais à ça! Tu es métamorphosée!

– Oh, ce n'est pas...

– Si, si, métamorphosée! affirma ma mère. Et je sais reconnaître une fille amoureuse.

Je faillis lui répondre :

– Pour une fois, tu te trompes.

Mais elle ne m'en laissa pas le temps.

– Oh, diable, il cache bien son jeu, ce vieux Hilary! Tiens, où est-il donc?

– A Londres, maman, probablement pour longtemps.

Elle m'annonça alors qu'elle comptait m'emmener en ville pour compléter mon trousseau et améliorer celui qu'avait constitué tante Montague.

Elle ne cacha pas sa joie quand je lui appris que, si trousseau il devait y avoir, c'était à celui de Daisy qu'il fallait penser.

– C'est merveilleux! Déjà! Oh, je suis si contente! Naturellement, l'ingénieur vient dîner ce soir?

Je me lançai alors dans une explication confuse d'où il ressortait que l'heureux élu n'était pas le fils de son amie de pension, mais un autre militaire.

Maman, que rien ne peut choquer, parut adorer Billy au premier regard, quand il se présenta.

Plus tard, tandis que je l'aidais à ranger tous ses souvenirs, elle se déclara ravie du choix de Daisy.

Soudain, comme elle vérifiait sa collection d'insignes, elle me demanda :

– Mon petit, que se passe-t-il? Pourquoi ma petite Jo fait-elle la tête? Est-ce parce que son fiancé à elle n'est pas là? Allons, je suis sûre qu'il reviendra vite!

– Oh, je n'en doute pas! Trop vite même! Bonsoir, maman chérie.

Et je m'enfuis en courant.

Ainsi, ma mère s'était mis en tête que j'allais faire un mariage d'amour : quelle idée ridicule!

Ce manque de perspicacité a gâché le plaisir que je me faisais de bavarder avec elle le lendemain pendant que Daisy étudiait son piano, après le départ de miss McAlister dont l'attitude ne laissa pas de m'étonner une fois de plus. Elle a embrassé les O.V.2 avec tendresse et m'a embrassée aussi en souhaitant que tout se passe pour le mieux... Que voulait-elle dire par là?

Je me sentais incapable d'entendre ma mère parler davantage de mon « petit fiancé chéri » et je préférai battre en retraite.

Sous prétexte d'aller chercher chez le cordonnier les chaussures des crapauds, je sortis promptement.

Ayant pris la direction opposée au chantier, je marchai au hasard, la tête vide.

J'étais aussi déprimée qu'avant le retour de maman.

Je rentrai assez tard : l'heure du thé était passée. Sur la console, négligemment jetés à côté du casque à pointe, je remarquai deux calots kaki et je me demandai qui l'incorrigible Billy Smith nous avait amené.

Le mystérieux invité semblait amuser beaucoup notre mère dont le rire cristallin me parvenait du salon.

En ouvrant la porte, je l'entendis s'exclamer :

– Si j'avais seulement soupçonné...

Quoi? Je ne le sus jamais : la conversation cessa net quand j'entrai.

Si j'avais pu me douter du choc que j'allais recevoir!

En face de maman, ses interminables jambes bottées nonchalamment allongées sur le tapis, l'air parfaitement détendu, se tenait...

J'en restai bouche bée!

Celui à qui l'on avait expressément interdit de revenir dans notre maison, celui qui avait promis de ne point forcer notre porte, Dick Rowlands était là...

Ma mère déclara le plus naturellement du monde :

— Oh, Jo, sonne donc Elisabeth pour qu'elle te refasse du thé. Nous avons bu le nôtre depuis longtemps. Je suis enchantée d'avoir fait la connaissance de Mr Rowlands : sa mère et moi avons été de si grandes amies en pension!

Elle parla longuement de Gladys et évoqua leurs souvenirs de pensionnaires; et comme Dick prenait un plaisir évident à l'écouter, elle monta dans sa chambre avant même que j'aie eu le temps de proposer d'y aller à sa place et ramena une vieille photographie d'elle et de son amie, prise pendant la leçon de gymnastique.

Sitôt maman sortie, je m'exclamai, indignée :

— Pourquoi avez-vous rompu votre promesse?

Il ne manifesta nul remords; au contraire, il rétorqua d'une voix charmante :

— Mais je n'ai rien fait de tel, Jo. J'avais promis de ne plus venir vous voir? Eh bien, je ne viens pas vous voir! Je viens rendre une visite de courtoisie à votre mère.

Sans tenir compte de mon regard exaspéré, il poursuivit :

— J'ai reçu une lettre de ma mère dans laquelle elle me demandait d'aller présenter mes respects à « Poppet » dès son retour. Or, vous savez à quel point je suis attaché à ma mère. C'était d'ailleurs la moindre des choses, étant donné l'assiduité avec laquelle j'ai fréquenté sa maison en son absence.

J'étais si confuse que je ne savais plus comment me sortir de cette situation imprévue.

– Mr Sykes a peut-être le droit de décider qui peut ou ne peut pas vous rendre visite, mais sûrement pas celui d'interdire à votre mère de recevoir qui bon lui semble. Je compte d'ailleurs avoir un entretien avec votre père à ce sujet dès que je le rencontrerai.

Il se cala dans son fauteuil.

– Demain, je dois retourner au ministère de la Guerre et j'en profiterai pour me présenter à l'honorable capitaine Dale à l'hôpital.

– Vous êtes un monstre! m'écriai-je. Cela vous est donc égal de savoir que mon fiancé est assez stupide pour me tenir rigueur de votre entêtement?

– Qu'y puis-je si votre fiancé a des réactions aussi grotesques? fit placidement l'ingénieur. Je ne vois pas pourquoi je serais obligé, moi, de me soumettre aux exigences absurdes de cet individu!

Et, perdant son flegme habituel, il éleva la voix.

– En voilà assez! Sachez que je n'éprouve pas le moindre respect à son égard...

– Dois-je comprendre que vous cherchez à vous venger de lui en nous rendant visite?

– Quand bien même ce serait le cas...

– Ce serait parfaitement puéril! Vraiment, vous êtes pire que les O.V.2!

Il parut chercher une repartie cinglante mais, vaincu, il serra les dents.

Quand maman redescendit avec la fameuse photographie, nous nous tournions délibérément le dos: l'ingénieur avalait une tranche de cake en regardant par la fenêtre, et je tournais les pages d'un magazine.

Notre attitude eût sûrement apaisé les inquiétudes de Hilary!

Le lendemain, maman et moi devions aller à Londres pour voir Teddy.

Je craignais que nous n'ayons à voyager dans le même compartiment que l'officier puisqu'il s'y rendait lui aussi pour répondre à une convocation du ministère de la Guerre.

Mais ce ne fut pas le cas.

Dick Rowlands avait emprunté une automobile pour nous emmener...

Je compris immédiatement que cela faisait partie de ses stupides manœuvres pour exciter la jalousie de Hilary. Les larmes aux yeux, je conseillai à maman d'emmener Daisy à ma place et je prétendis me sentir un peu fatiguée. Mais ma sœur affirma que le changement d'air me ferait du bien.

Bref, je partis. Je dois avouer que ma colère se dissipa au fil des kilomètres.

Dick Rowlands nous déposa à l'hôpital où ma mère et moi courûmes embrasser mon cher papa. Je le trouvai pâle et émacié, mais néanmoins d'excellente humeur, malgré ses pansements. Nous lui tînmes compagnie jusqu'à l'heure du déjeuner.

Ensuite, nous allâmes faire des courses avant de rejoindre l'ingénieur qui nous attendait avec la voiture à Oxford Circus. Je pensais que nous irions tous les trois prendre le thé quelque part, mais maman me réservait une nouvelle surprise.

– Il faut que je retourne à l'hôpital, annonça-t-elle en souriant. Je vais prendre le thé avec Teddy. Hélas, je n'ai pu obtenir l'autorisation que pour une seule personne : Dick, auriez-vous l'amabilité d'aller prendre le thé avec Jo puis de venir me reprendre?

Je n'eus pas le temps de protester.

– Allez, soyez sages et ne vous disputez pas

comme des enfants, nous lança-t-elle avant de nous quitter.

Eh bien, nous ne nous disputâmes pas, l'ingénieur et moi!

Prévoyant que toute querelle se terminerait de toute façon par une réconciliation et des excuses mutuelles, j'engageai la conversation en souriant, comme si de rien n'était. D'ailleurs, au fond de mon cœur, j'étais très heureuse de pouvoir bavarder avec lui librement.

Il me conduisit dans un minuscule salon de thé qui venait d'ouvrir dans Bond Street. C'était l'endroit le plus délicieusement frais de tout Londres : une symphonie en vert et blanc, murs verts, nappes blanches et porcelaine verte et blanche.

Mr Rowlands commanda de la citronnade maison et des sorbets : exactement ce que je pouvais souhaiter.

– C'est la première fois qu'il nous est donné de vraiment parler depuis l'incident du chantier, commença-t-il...

– Nous nous sommes vus hier, non?

– Oublions hier, voulez-vous?

– D'accord!

– J'ai quelque chose d'important à vous dire, poursuivit-il.

Un orchestre invisible, deux violons et un piano, se mit à jouer en sourdine.

Si nous étions seuls au monde,
Toi et moi...

Dick fredonna quelques mesures de cette jolie chanson, puis il reprit le fil de sa pensée et lança :

– Voilà! Ecoutez, Jo...

– Mais oui, je vous écoute! Allez-vous enfin me dire de quoi il s'agit! le suppliai-je en riant.

Posant les coudes sur la table, il se pencha vers moi. Mais il évitait de me regarder en face.

– Bon, commençons par le commencement. Savez-vous quelles sont les deux choses qui comptent le plus dans la vie d'un homme, Jo?

– Non, mais vous allez me le dire!

– Eh bien... son travail et... euh... l'amour, la femme de sa vie.

Il jouait nerveusement avec sa petite cuillère.

– La femme qu'il aime peut être jalouse de son travail quand il semble consacrer tout son temps, toute son énergie à son régiment, son usine, son...

– Son pont, suggérai-je en souriant.

Mais l'ingénieur ne souriait pas.

– Son pont, en effet, acquiesça-t-il. Bref, au travail qui lui tient à cœur, au travail qui doit lui permettre de s'affirmer, de devenir digne de cette femme!

– Oui, soufflai-je, fascinée.

– L'homme se coupe alors du monde, reprit l'ingénieur. Il est séparé de celle qu'il aime et il accepte cette situation parce que c'est son devoir.

– Mais ne peut-il concilier...

– Non! parce que, autrement, l'amour prend inexorablement le pas sur tout le reste, rétorqua-t-il fermement. Croyez-vous qu'un homme soit capable d'affronter des pylônes d'acier si un seul regard de sa bien-aimée suffit à le rendre fou?

Pendant plusieurs minutes nous restâmes silencieux en écoutant l'orchestre.

J'étais perplexe : quel était le sens de ces confidences?

Brusquement il reprit :

– Voilà pourquoi je ne pouvais pas demander la main de ma bien-aimée avant l'achèvement du pont. Comprenez-vous, Jo?

– Je comprends, dis-je avec douceur. J'avoue que je m'étais demandé pourquoi vous ne vous étiez pas déclaré à Daisy plus tôt.

Il y eut un nouveau silence.

– Ah oui, Daisy, bien sûr. Oui. J'aurais négligé mon travail pour retrouver plus vite ma... enfin, Daisy, naturellement.

– Vous croyez, Dick? demandai-je, pensive.

Il venait de reculer bruyamment sa chaise et je ne fus pas sûre qu'il m'ait entendue. Il conclut :

– La seule façon de tenir le coup, me répétais-je sans cesse, c'est de cacher à l'élue de mon cœur, à ma bien-aimée, tout ce qu'elle représente pour moi. Car si je me laisse entraîner par la passion qui me dévore...

Il se racla la gorge avant d'ajouter :

– Je parlais de Daisy, naturellement...

– Mais oui, naturellement, dis-je en me demandant ce qu'il espérait encore.

– Et vous, Jo, si vous aimiez un homme, seriez-vous jalouse de son travail? Ce serait une erreur. S'il paraissait l'absorber totalement, si vous aviez l'impression de...

– ...de ne plus exister? suggérai-je en me rappelant l'ombrelle rose jetée aux vents parce qu'un chaland passait.

– Même si vous avez eu l'impression de ne plus exister, affirma-t-il avec chaleur, sachez que cet homme finira toujours par vous revenir.

– Par revenir à Daisy!

– Il vous reviendra, reprit-il. Mille fois plus amoureux.

– Sans doute, soupirai-je en songeant à la sottise de ma sœur.

Comment avait-elle pu lui préférer Billy? Dick était si sensible, si généreux... Sa voix avait des accents bouleversants. Comme ce devait être doux de l'entendre dire « je t'aime! »...

– Un homme ne peut pas courir le risque de perdre son gagne-pain pour les beaux yeux de sa bien-aimée.

– Certes, non!

– J'étais sûr que vous m'approuveriez, dit-il en souriant. Il nous faut donc attendre que le pont soit achevé.

Cette dernière phrase me surprit un peu. Je redressai la tête.

– Oh, mon pauvre Dick! Mais pourquoi vous confier à moi? Il est trop tard! trop tard!

– Trop tard? répéta-t-il en pâlissant. Mais alors, Jo, vous...

– Dick, comprenez-moi bien: jamais Daisy n'aimera un autre que Billy Smith!

L'ingénieur poussa une petite exclamation ambiguë puis, sans transition, il se leva.

Dix minutes plus tard nous avions rejoint ma mère à l'hôpital.

Le retour fut extrêmement silencieux: maman pensait à Teddy, évidemment; moi, je réfléchissais à mon étrange conversation devant un verre de citronnade.

Mais Dick? Quelles pensées assombrissaient ainsi son beau front?

Personne ne parla.

Mais ce silence fut largement racheté par les éclats qui suivirent le dîner.

Tout commença après le départ de l'ingénieur.

Il était resté dîner mais s'était retiré très tôt: malgré tous ses efforts de volonté, il ne pouvait sans doute plus supporter les regards énamourés que Daisy, plus ravissante que jamais, lançait sans cesse à Billy.

Une demi-heure plus tard, Mr Smith, qui devait se lever tôt le lendemain, se retira aussi.

Daisy, maman et moi étions donc seules au salon devant les tasses vides.

La fatigue et l'énervement consécutifs à notre

expédition londonienne peuvent seuls justifier ma conduite inqualifiable.

Je m'adressai à Daisy sur un ton si agressif que j'en ai encore honte aujourd'hui.

– Daisy, je ne te comprends plus! Comment peux-tu avoir l'indécence de badiner avec un homme que tu as tellement fait souffrir?

– Moi? rétorqua ma sœur, sans s'offusquer. Voyons, je n'ai fait souffrir personne!

– Oh, que si! Et tu continues! m'emportai-je. Tu t'obstines à aguicher Mr Rowlands! Alors que tu es fiancée à Billy!

– Oh, Jo! Comment oses-tu insinuer?...

– Insinuer? Allons! Comme si je n'avais pas remarqué ce petit sourire d'encouragement que tu as lancé à Dick en lui souhaitant bonsoir, tout à l'heure! Si tu n'appelles pas ça une attitude agui-chante, alors, qu'est-ce que c'est?

– Mais c'est tout autre chose! s'exclama Daisy qui semblait hésiter entre le rire et les larmes. Oh, Jo, c'est trop bête! Si seulement tu savais...

– Oh, mais je sais parfaitement que tu idolâtres Billy, répliquai-je méchamment. Mais cela ne t'em-pêche pas de jouer avec le cœur de Dick, d'encou-rager sa flamme avec de faux espoirs! Tu es une sans cœur, une... une allumeuse, voilà ce que tu es! J'ai honte pour toi!

– Arrête tes sottises! ordonna Daisy que mes injures commençaient à indisposer sérieusement. Tu es complètement aveugle! Tu ne comprends donc pas pourquoi Dick et moi sommes devenus de si grands amis? Des *amis* tu entends!

– Moi, aveugle! En tout cas je vois très bien quel genre de fille tu es!

– Mes enfants, mes enfants! intervint notre mère. Cessez donc de vous disputer : voilà une conduite qui n'est pas digne de mes petites filles.

– Et ce que fait Daisy? Est-ce une conduite digne de ta petite fille?

– Jo, je veux bien mettre tes paroles sur le compte de la fatigue...

– Je ne suis pas fatiguée du tout!

Maman reprit, imperturbable :

– Et sur le compte des émotions que tu as eues ces derniers temps. Ma pauvre chérie! Une si petite fille déjà si malheureuse!

– Malheureuse! Et pourquoi serais-je malheureuse? m'écriai-je avec fougue. Je suis parfaitement heureuse! Pourquoi ne le serais-je pas, d'ailleurs?

– Et dire que tu as fait tout ça pour moi, fit maman d'un air triste. Ah, si j'avais pu imaginer ce que tu éprouvais envers cet homme...

Je la regardai, interloquée.

Elle secoua la tête en faisant tinter ses pendants d'oreilles.

– Ma petite fille, je ne veux pas que tu épouses Hilary Sykes. Je veux que tu rompes ces absurdes fiançailles. Mon pauvre bébé! Et dire que pendant tout ce temps tu en aimais un autre!

Une colère irraisonnée monta en moi. Je me dominai et déclarai d'un ton glacial :

– Je n'ai pas le moindre désir de rompre mes fiançailles!

Daisy et maman échangèrent un regard de connivence qui fouetta mon amour-propre.

– Personne ne m'obligera à rompre avec Hilary Sykes, affirmai-je avec conviction. D'ailleurs, nous allons nous marier très prochainement.

– Quoi? fit ma mère, visiblement terrifiée.

– J'ai promis de l'épouser dès le retour de papa, insistai-je avec obstination. Je souhaite me marier le plus vite possible...

– Jo, mon chéri, je ne te reconnais plus.

– C'est pourtant la stricte vérité. J'ai l'intention

d'écrire à Hilary pour lui annoncer que je serai ravie de l'épouser... euh... jeudi en huit!

J'avais avancé cette date au hasard. Ma sœur et ma mère semblaient effondrées.

– Vous imaginez que je suis amoureuse de l'ingénieur, n'est-ce pas? m'écriai-je alors avec un rire amer. Eh bien, détrompez-vous, c'est complètement faux!

Et, avec l'impression d'avoir remporté une victoire, je courus m'enfermer dans ma chambre. Je me jetai en travers de mon lit et sanglotai de colère et de fatigue.

Plus tard, dans un demi-sommeil, je sentis des mains douces me dévêtir.

– Voilà, ma toute belle, murmura une voix apaisante dans la nuit.

– Oh, maman, c'est complètement faux! Je ne suis pas amoureuse de lui...

Avec précaution, ma mère enlevait les épingles de mon chignon.

– Je ne l'intéresse pas du tout... Un jour, je l'ai embrassé et il... il a brusquement détourné la tête!

J'étais presque endormie. Comme dans un rêve, j'entendis perler le rire de ma mère, puis elle prononça cette phrase mystérieuse qui pouvait concerner Dick aussi bien que Hilary.

Elle murmura:

– Il ne recommencera pas la prochaine fois, Jo! Pas jeudi en huit!

8

– Voyons! Il est hors de question que tu te maries jeudi en huit, Jo, déclara ma sœur Daisy le lendemain matin, après que nous nous fûmes confondues en excuses mutuelles. C'est le jour du bal de Billy!

J'éclatai d'un rire sans joie.

– Le bal de Billy! Tu veux dire le bal du chantier! Ton Billy n'est quand même pas le seul à fêter l'achèvement du pont!

Daisy m'expliqua que notre mère serait très déçue de ne pouvoir conduire au bal ses deux grandes filles vêtues de superbes robes neuves, comme elle l'avait prévu.

Après réflexion, je déchirai donc le premier billet que j'avais écrit à Hilary et en rédigeai un autre dans lequel je lui proposais de nous marier le plus rapidement possible après ce fameux jeudi.

Maman et Daisy préparaient dans une excitation fébrile le retour de notre père et ce bal où Teddy ferait sans conteste figure de héros local.

Maman avait choisi pour sa robe une soie vert amande, Daisy avait préféré le jaune paille et on m'avait imposé un tulle rose pâle.

Toute notre cité s'apprêtait à fêter le grand événement : le pont militaire était enfin terminé.

L'ingénieur devait être très fier de son ouvrage...

Mais je n'avais pas eu l'occasion de lui parler depuis la fameuse soirée de l'esclandre. A peine l'avais-je aperçu de loin en me promenant. Un petit sourire, un bref salut, et c'est tout! C'était bien peu si l'on songeait à l'amitié qui nous liait autrefois...

Je soupirais en remuant ces tristes pensées quand une ombre passa devant la fenêtre du salon. Je levai les yeux : c'était lui!

– Hello, dit-il gaiement. Jo, le pont est fini!

– Je le sais... Je suis désolée, mais maman est sortie.

– Ce n'est pas votre mère que je suis venu voir,

rétorqua joyeusement Dick Rowlands. Aujourd'hui, c'est Daisy que je cherche!

— Elle n'est pas là non plus, lui dis-je, encore plus misérablement. Maman et elle sont parties à Londres pour ramener mon père.

— Il faut vraiment que je la voie, dit-il avec un large sourire. Je vais l'attendre.

Et, sans plus de façons, il enjamba la fenêtre et se retrouva dans le salon.

Je ne pouvais tout de même pas le renvoyer!

Il traîna près de moi le pouf de satin noir et s'assit à mes pieds.

— J'attendrai le temps qu'il faudra : je veux absolument voir... euh... Daisy!

Sa constance me bouleversait. Je m'écriai, tragique :

— Oh, Dick! A quoi bon vous faire des illusions? Daisy est amoureuse de Billy.

— Mais je le sais! Je n'ai d'ailleurs jamais envisagé qu'elle pût l'être de moi. Je ne me suis jamais intéressé à elle...

Je crus avoir mal entendu.

Les yeux de l'ingénieur pétillaient de malice entre ses longs cils.

— Voilà pourquoi j'espérais que votre sœur serait là cet après-midi. Pour vous expliquer tout cela...

— Tout quoi?

— Toute cette comédie!

Il me fixait de ses grands yeux innocents.

— Quelle comédie?

— Mon petit pacte avec votre sœur. Naturellement, elle était au courant depuis le début. C'est une fille formidable. Je lui ai même dit un jour – je me souviens exactement de mes paroles – : « Vous êtes un vrai petit roc, miss Daisy. C'est pour cela que je vous adore. »

— Je vous trouve bien mystérieux, Dick. De quoi parliez-vous?

– Nous parlions, Daisy et moi, de la jeune fille dont j'étais tombé amoureux au premier regard, murmura l'ingénieur.

Sa voix était devenue grave.

– Pourquoi ai-je passé tant d'heures avec Daisy, si ce n'est pour avoir une raison d'être auprès de celle que j'aimais, pour la regarder, pour entendre sa voix adorable me donner de sages conseils. A moi! Alors que depuis des semaines mon choix était fait, ma décision prise...

– Cette jeune fille... cette jeune fille, répétai-je d'une voix sans timbre. Mais qui?

– Celle que j'aime depuis le début, dit-il dans un souffle.

Il prit mes mains sagement posées sur mes genoux et les emprisonna, tremblantes, dans les siennes.

– Allons, Jo, vous ne devinez pas?...

J'étais abasourdie, tout en ayant l'intuition que je le savais depuis le début. Mais, même en rêve, je n'aurais osé m'avouer le sentiment que j'éprouvais pour lui. Et pourtant, je l'avais aimé dès notre première rencontre.

Emportée par un flot d'émotions contradictoires, je ne sus que détourner la tête pour éviter les questions muettes que je lisais dans son beau regard.

– Oh, regardez-moi, Jo, je vous en supplie! Depuis si longtemps je me languis dans une feinte indifférence. Oh, pouvoir vous contempler sans tricher!... Le pont est terminé, mon amour!

– Dick, Dick, balbutiai-je, le souffle court.

De mes deux mains, il fit un collier autour de son cou.

– Je vous dois un baiser, miss, dit-il avec espièglerie.

– Oh, Dick! m'emportai-je en le repoussant vivement. Comment osez-vous me rappeler votre attitude si cruelle? Je ne cherchais qu'à vous exprimer ma reconnaissance. D'ailleurs, c'était un tout petit baiser, un baiser de rien du tout...

– Je l'avoue! admit-il. Eh bien, soyez généreuse, petite Jo, laissez-moi vous voler un baiser qui compte!

Je ne prétendrai pas que je tentai de me dérober...

Lentement, je levai le visage vers lui... et mon regard tomba sur deux paires d'yeux ronds et bruns : deux petits bonshommes en salopette de coton rouge et blanc, immobiles dans l'allée, nous observaient par la fenêtre.

– Oh, vous deux! m'exclamai-je en me levant d'un bond.

En une enjambée, Dick fut à la fenêtre.

– Hep, vous deux! hurla-t-il comme un adjudant-chef. Que faites-vous là?

– On veut jouer avec vous, lancèrent en chœur les crapauds. C'est quoi?

– Eh bien, je demande Jo en mariage, expliqua Dick qui répond toujours sans détours aux questions des enfants, qualité rare chez un adulte. Et nous en avons pour un bon moment. Alors, trouvez-vous une occupation et que je ne vous revoie plus!

Les O.V.2 ouvrirent de grands yeux.

– Enfin, Jo peut pas se marier avec Mr Rowlands, puisqu'elle est fiancée à Mr Sykes, cria Cecil tandis qu'ils s'éloignaient au pas de course.

Dick revint vers moi, les bras ouverts, mais je reculai d'un pas.

– Non, Dick, remarquai-je, prise d'un remords. Cecil a raison, je ne peux pas avoir deux fiancés à la fois.

– Oh, mais je ne vous en demande pas tant! s'esclaffa-t-il. Eliminez-en un, c'est la seule solution.

– Oh, Dick... balbutiai-je avec une moue hypo-
crite, c'est impossible... Il a eu tant d'ennuis récem-
ment! Que vais-je faire?

– Asseyez-vous, Jo.

J'obtempérai, secrètement ravie de son autorité.

– Vous allez écrire à cet individu.

– A mon fiancé?

Au lieu de me répondre, Dick me prit la main
gauche, retira de mon annulaire la chevalière de
Hilary et la jeta sur l'écritoire.

– Voilà qui est réglé, dit-il.

Il s'assit sur le bras de mon fauteuil et commença
de sa voix chaude et profonde :

– Vous vous souvenez de notre première rencontre : vous me détestiez! Puis, je suis venu vous
rendre visite et j'ai découvert que vous étiez fiancée.
Ce fut un choc terrible! Ce jour-là, je me suis juré de
me battre pour vous arracher à cet autre... Vous
vous souvenez de ma seconde visite?

Je me contentai d'un petit rire mal assuré.

– Vous vous souvenez : quand vous m'avez proposé de me trouver une femme, j'ai sauté sur la
chance qui s'offrait à moi. Vous me donniez le
prétexte dont j'avais besoin pour vous rencontrer le
plus souvent possible.

Je ne pouvais nier les faits. Encadrant mon visage
de ses larges mains brunes, il l'attira vers le sien, si
près, si près, que je pouvais voir mon image se
refléter dans ses beaux yeux emplis de tendresse et
de passion.

J'eus un léger mouvement de pudeur et je lui
tendis la joue.

Il eut un petit rire.

Doucement, tendrement, respectueusement, mais
avec une extrême détermination, il me força à
tourner la tête et posa ses lèvres sur les miennes
pour un interminable baiser...

Contre mon gré, naturellement!

Comme les mots d'amour sont étranges...

– Je t'aime! Oh, comme je t'aime! disait-il. Sais-tu que je pourrais te briser en mille morceaux? Oh, mon amour, je vous ai fait mal! Seigneur, je suis fou de vous! Jo, mon adorable Jo, mon exquise Jo, je ne supporterai pas davantage qu'un autre homme pense à toi. Ecrivons vite ce billet!

Il se pencha par-dessus mon épaule, mon tyran, mon maître, mon amour, et me dicta pratiquement les mots suivants :

Mon cher Hilary,
Je vous prie de rentrer le plus vite possible. Il faut que je vous voie. C'est extrêmement important.
                                        Joséphine Dale.

Je lui tendis la lettre.

– Voulez-vous la poster pour moi, Dick? J'aimerais qu'elle parte le plus vite possible. S'il vous plaît, Dick.

Je prononçais son nom avec volupté...

– On veut se débarrasser de moi? demanda-t-il avec malice.

Et, curieusement, c'était vrai.

Je voulais me donner le temps de me répéter mot pour mot tout ce qu'il m'avait dit, afin de me convaincre que je n'avais pas rêvé.

Je préférais aussi qu'il ne soit pas là quand maman et Daisy rentreraient avec Teddy: je n'aurais jamais osé leur annoncer d'emblée une telle nouvelle!

Mais ce fut peine perdue!

Malgré toutes mes précautions, ils furent accueillis aux cris de :

– Mr Rowlands a demandé Jo en mariage!

– Oh, vous deux!

Je ne pouvais évidemment pas compter sur la discrétion des crapauds quand je me précipitai à la rencontre de mes parents et de ma sœur, encadrée par mes cousins.

Ecarlate, j'observai leurs réactions, mais personne ne parut avoir entendu...

Papa menaça les O.V.2 de son bras valide et cria en riant :

– Allons, les enfants, du calme! Assez! Quel vacarme!

Le lendemain était le jour du bal. Ma mère et ma sœur rivalisèrent de gentillesse à mon égard. Elles insistèrent pour m'aider à me préparer comme si j'étais une jeune fiancée qu'on allait conduire à l'église!

Oh, comme cette perspective était douce à mon cœur à présent! Je ne serais pas cette mariée triste qu'on guiderait vers Mr Sykes! Je frissonnai de bonheur.

C'était presque trop beau pour être vrai! Jusqu'à mon reflet dans la glace qui me surprenait! Etait-ce moi, cette ravissante jeune fille nimbée de tulle rose?

Quant au bal...

L'homme que j'aimais m'enlaça et nous valsâmes sur les accords de *Fascination*.

Comment décrire ce plaisir suprême : danser dans les bras de l'homme qu'on aime? Nos deux cœurs tout proches battaient à l'unisson. Je me sentais devenir une partie de lui-même.

Je faisais mienne sa fierté de bâtisseur de pont. Oui, j'étais fière de ce pont, son œuvre, qui l'avait amené parmi nous, m'avait privée de sa présence et finalement me l'avait rendu.

Il s'abstint de gâcher le plaisir de la valse par de vaines paroles. A la fin il murmura :

– C'était divin, n'est-ce pas, ma chérie?

J'acquiesçai en silence. Nous croisâmes mes parents qui échangèrent un sourire complice. De nouveau, ma timidité l'emporta : baissant les yeux, je demandai à Dick d'aller me chercher de la citronnade.

En l'attendant, je m'assis à une table pour deux personnes.

C'est alors que je remarquai une silhouette noire, un homme dont l'habit tranchait parmi les uniformes kaki.

Au-dessus du plastron empesé, je reconnus, hélas, un visage qui ne m'était que trop familier. Derrière leurs verres, deux petits yeux scrutaient la foule... Hilary Sykes me cherchait.

Enfin il me vit.

– Ah, Joséphine, vous voici enfin !

Je lui dis, assaillie de craintes à la pensée de la scène qui allait suivre :

– Vous avez reçu mon message, Hilary ?

– Un message ? Je n'ai reçu que votre lettre, il y a quatre jours...

J'aperçus Dick qui revenait avec un verre. Il me fit un petit signe de connivence qui signifiait : « Allons, mon cœur, courage ! »

Hilary pianotait nerveusement sur la table.

– J'ai une pénible nouvelle à vous annoncer, Joséphine. Une nouvelle qui, je le crains, va vous bouleverser.

– Oh, vous partez au front ? demandai-je innocemment.

– Non, Joséphine, fit-il pompeusement, Dieu merci, cette épreuve me sera épargnée. C'eût été une catastrophe.

– Oh, vraiment ? remarquai-je ironiquement.

Voilà qui balayait bel et bien mes remords ! Une catastrophe, partir au front ? Cette fois Hilary dépassait les limites permises !

– C'eût été surtout une catastrophe pour l'armée ! m'exclamai-je avec indignation.

– Joséphine, dit avec défiance Mr Sykes, pourquoi me regardez-vous ainsi?

Pleine d'un juste courroux, je m'enflammai.

– Cela me dégoûte de vous voir tenter d'éviter par tous les moyens de servir votre patrie. Pensez donc aux hommes pleins de bravoure qui se battent, des hommes formidables comme... mon père! Ils ont tout abandonné pour aller chasser l'ennemi du sol de France! Pour vous, Hilary, pour vous! Croyez-vous que vous en valez la peine?

– Joséphine! s'exclama-t-il, écarlate. Dois-je comprendre...

– Vous ne comprenez rien du tout. Vous n'avez jamais rien compris!

– Joséphine! Je savais que nos tempéraments étaient diamétralement opposés, mais je ne vous aurais jamais crue capable d'une telle violence! Vous vous oubliez, ma chère!

– M'oublier! Ah, non! Je me suis retrouvée, au contraire! m'exclamai-je du fond du cœur. Je vous ai dit un jour que je n'étais pas sûre de vous aimer : c'était un euphémisme, Hilary! Car, depuis le début, je vous méprise.

– Oh, vraiment?

Le cynisme ne lui allait pas : il n'en paraissait que plus pathétique.

– Parfaitement! J'ai honte d'avoir seulement envisagé de vous épouser.

Je me laissais submerger par ma rancune : plus rien ne m'arrêtait.

– Pourquoi j'y ai consenti? Vous le savez aussi bien que moi. Mais si j'avais pu deviner à quoi allait ressembler cette parodie de fiançailles, jamais je n'aurais accepté. Vous connaissiez mes sentiments et vous n'en êtes que plus méprisable d'avoir conclu ce marché.

Hilary était blême de rage.

– Eh bien, dans ce cas, il vaut sans doute mieux...

C'est alors qu'une voix féminine s'exclama dans mon dos :

– Ah, Hilary, mon chéri, je vous trouve enfin !

Mon chéri ? Hilary ?

– May, m'écriai-je, May Smith !

La petite fée du logis !

Quand je me retournai, son visage s'empourpra. Je compris à son agitation qu'elle n'avait pas la conscience nette.

De toute évidence, elle ne m'avait pas vue en arrivant.

– Jo ! s'exclama-t-elle horrifiée. Oh, Hilary, c'est Jo Dale ! Comment allons-nous lui expliquer...

– Oui, comment allez-vous m'expliquer ? demandai-je à mon ex-fiancé.

Hagard, il nous regardait alternativement. Qu'il était donc ridicule !

Assez méchamment, je jouissais de sa confusion. Ses soupçons m'avaient mise dans des situations si grotesques... A mon tour de lui poser quelques questions insidieuses !

Je me redressai et le fixai droit dans les yeux.

– Avez-vous déjà promis à May de l'épouser ?

– Euh..., bégaya Hilary, nous avions convenu d'un arrangement, en effet...

– Sans m'en avoir prévenue, Hilary ? Avant même d'avoir rompu nos fiançailles ? insistai-je, feignant l'indignation. Mais alors... Vous étiez pratiquement fiancé à deux jeunes filles en même temps ? Oh ! Hilary !

Il ouvrit la bouche, mais aucun son n'en sortit.

– Vous exigiez que je demande à un certain jeune homme de cesser ses visites, lui rappelai-je, et pendant ce temps-là vous courtisiez une autre jeune fille !

« Effondré » est un mot trop faible pour qualifier

l'état de Hilary. Quant à May, elle était à deux doigts de défaillir.

— Est-ce une façon honorable de traiter une jeune fille? repris-je. Une jeune fille innocente qui vous faisait confiance, une jeune fille qui, vous le disiez vous-même, n'était encore qu'une enfant?

C'en était trop pour Mr Sykes. Voilà que je me posais en vivante incarnation de la vertu offensée! Il alla se réfugier derrière May.

— Prends-le, il est à toi, déclarai-je à cette dernière. Mais tes manières hypocrites me déçoivent profondément.

— Tu n'as jamais su apprécier Hilary à sa juste valeur, dit-elle pour sa défense, les larmes aux yeux.

— Crois-tu? ironisai-je en regardant mon ex-fiancé par-dessus son épaule.

— Tu n'étais pas faite pour lui. Tu n'aurais pas su le rendre heureux. Moi, si. Peu importe que tu me reproches de t'avoir volé ton fiancé, Jo. J'espère qu'un jour tu trouveras... quelqu'un d'autre.

— Ah, c'est improbable, soupirai-je.

— Allons, je suis sûre que tu finiras bien par trouver quelqu'un qui accepte de t'épouser, affirmat-elle avec une suffisance insupportable. En attendant, sois raisonnable, Jo. Essaie de me pardonner.

— De nous pardonner, balbutia Hilary, toujours à l'abri de sa bien-aimée.

— Etre raisonnable... Vous pardonner... déclamaije avec une voix de tragédienne. Ah, comme ce sera difficile!

L'intervention de mon bel ingénieur, à cet instant précis, coupa tous mes effets.

— Hello, Jo chérie!

Hilary sursauta et fit un pas en arrière. May se raidit.

Si grande est la force de l'habitude que Hilary eut l'indécence de s'offusquer de la situation.

– Vous vous êtes moquée de moi, Joséphine!

Il eut un petit rire sarcastique.

– Apparemment, il ne me reste plus qu'à vous... féliciter!

– Je n'ai que faire de vos félicitations, Mr Sykes, rétorqua Dick sèchement.

Je me serrai contre lui pour mieux jouir de l'air ébahi de nos deux compagnons.

– Bonsoir, conclut mon nouveau fiancé en m'entraînant loin d'eux.

Quand nous rentrâmes à la maison, Daisy et Billy nous précédaient sur le chemin. Papa et maman étaient déjà rentrés en se donnant la main comme des amoureux.

– Pas si vite, mon amour, souffla Dick. Après toutes ces semaines de privations, nous avons bien droit à un moment de bonheur...

Je soupirai de plaisir quand il m'attira contre son cœur. Au-dessus de nous, le ciel pâlissait. L'aube était proche...

Haletante, je murmurai:

– Oh, Dick, pourquoi m'aimez-vous?

– Craignez-vous que ce soit seulement pour faire plaisir à ma mère? demanda-t-il malicieusement. Elle qui, depuis le début, souhaitait ce mariage! Mais pas autant que moi!

Il m'enlaça de nouveau.

– Les autres vont s'étonner, balbutiai-je enfin.

– Nous pouvons bien nous octroyer quelques minutes de grâce... Quel bonheur d'être enfin seuls, mon bel amour!

Incapable d'exprimer la sublimité de mes sentiments, je me réfugiai dans les futilités.

– Comment pouvez-vous me trouver jolie? Je suis... si ordinaire!

– Ordinaire? Vous? Avec ce teint de rose, ces

yeux brillants d'intelligence, cette jolie bouche aux contours modelés par de belles pensées...

– Oh, Dick, ma bouche ne vous déplaît donc pas?

– Me déplaire? Vous avez dit me déplaire?

Je dus attendre une bonne minute avant de pouvoir reprendre la parole.

– Oh, haletai-je, je l'ai toujours trouvée tellement grande...

Et mon bel ingénieur me fit alors le plus beau compliment du monde :

– C'est la plus jolie bouche que j'aie jamais embrassée!

Achevé d'imprimer sur les presses de l'imprimerie Brodard et Taupin
7, Bd Romain-Rolland, Montrouge. Usine de La Flèche,
le 15 avril 1983
6450-5 Dépôt Légal avril 1983. ISBN : 2 - 277 - 21456 - 6
Imprimé en France

1456
★★

Editions J'ai Lu
31, rue de Tournon, 75006 Paris
diffusion France et étranger : Flammarion